Émilie Boily

~~1028 St-Christophe~~

~~St-Félicien~~

276-3360

679-~~5812~~ 9758

4494

D1273283

Le mal du sucre

AVERTISSEMENT: *Le but de ce livre est d'informer un public de plus en plus soucieux de prévenir la maladie et non de se substituer aux soins éclairés d'un professionnel de la santé. En cas de maladie, nous vous recommandons de consulter votre médecin.*

Diffusion pour l'Amérique:

Publications ORION inc.
C.P. 1280, Richmond (Québec)
Canada J0B 2H0
Tél.: (819) 848-2888

Diffusion pour l'Europe:

DIFFUSION-EXPRESS
12, Allée des Saules
Boissise le Roi
77310, St-Fargeau Ponthierry, France
Tél.: (6) 065-54-59

7e édition révisée, juin 1986.

Les recettes de ce livre sont, en grande partie, tirées du livre «*Hi-Energy Vegetarian Cook Book for Low Blood Sugar*» par Ellen Burns, © 1977. Elles ont été traduites, adaptées et modifiées avec sa permission.

Tous droits de traduction et d'adaptation réservés pour tous les pays. Toute reproduction totale ou partielle de cet ouvrage de quelque façon que ce soit est strictement interdite sans autorisation de l'éditeur.

Publications ORION inc.,
C.P. 1280, Richmond (Québec)
Canada J0B 2H0

ISBN 2-89124-007-3

Copyright © 1981 par Danièle Starenkyj
Tous droits réservés

Dépots légaux — 4e trimestre 1981
Bibliothèque Nationale du Québec
Bibliothèque Nationale du Canada

Danièle
Starenkyj

Le mal du sucre

ORION

Du même auteur
aux Publications ORION :

Mon «petit» docteur
Le bonheur du végétarisme
Les cinq dimensions de la sexualité féminine
La vie en abondance
De belles histoires pour nous tous

à Lionel

1

Le mal du sucre

Le mal du sucre... Il est terrible. Il est pétri de larmes, de sang, d'infirmités, de difformités et de morts. Son odeur est pestilentielle et lorsqu'elle monte à nos narines, elle nous donne un haut-le-cœur dont on ne se remet pas. On lui doit les pages les plus révoltantes de l'histoire post-moyennageuse et ce n'est qu'à sa lueur, que soudain cette histoire prend son véritable visage. L'illusion ne peut subsister: ce n'est pas l'amour qui mène le monde et qui ne l'a jamais mené, c'est l'appétit, et dès la création de l'homme et jusqu'à ce jour, il fut et est encore la cause pitoyable de sa déchéance, de sa misère et de son retour à la poussière.

Le mal du sucre, alors que la Chrétienté, la conscience cautérisée, mordait à pleines dents dans ce nouveau fruit, c'est sept siècles de commerce, dans le monde entier, basé sur l'esclavage, le génocide et le crime organisé[1].

Le mal du sucre, c'est 13 millions d'Africains arrachés à leurs pays, privés de leur liberté, tués dans leur âme et conscience, couchés, enchaînés comme du bétail dans des calles de bateaux infestés de vermine puis vendus dans le Nouveau-Monde pour travailler courbés, fourbus et affamés dans les plantations de canne à sucre[2].

Le mal du sucre, c'est la Sorbonne qui condamne et brûle le livre *De l'esprit* de Claude Adrien Helveticus en 1768 parce qu'il ose y dire: «Il n'y a pas un tonneau de sucre qui arrive en Europe qui n'est pas taché de sang. Lorsque l'on pense à la misère de ces esclaves, quiconque a un cœur devrait renoncer à cet article et refuser la jouissance de ce qui est acheté au prix des larmes et de la mort d'innombrables créatures malheureuses[3].»

Le mal du sucre, vous le trouvez dans les voyages du Portugal, de l'Espagne, de l'Angleterre, de la France et de la Hollande en route vers de nouveaux horizons ainsi que dans leurs entreprises commerciales et leurs développements industriels dans la mère-patrie. Vous le trouvez dans l'immigration des Quakers vers le Nouveau-Monde. Vous le trouvez dans les richesses colossales du nouveau et de l'ancien monde érigées sur les taxes du sucre. Vous le trouvez dans toute la carrière et les activités de Napoléon, un suceur de bonbons notable; dans celle de Freud, accroché à la cocaïne et au sucre[4]; dans celle de Hitler, un consommateur effréné de sucreries[5]. Cherchez, raisonnez de cause à effet et vous le verrez, le mal du sucre, c'est l'histoire d'un monde qui, en quelques siècles, a développé un goût obsédant pour une denrée qui jusque là, n'avait jamais figuré à son menu...

Le dogme de l'évolutionnisme, forçant la foi et la raison de l'humanité moderne a envahi toutes ses disciplines, coloré toutes ses connaissances, influencé toutes ses conceptions, pétri toutes ses philosophies et contribué au mal du sucre. — Un des articles (depuis mis sous silence) de ce dogme à sa formation n'était-il pas la supériorité d'une certaine race et l'infériorité naturelle d'une autre race, ainsi très justement maintenue dans l'esclavage? Aujourd'hui, ce dogme n'entraîne-t-il pas les optimistes inconséquents à croire que l'homme évoluera un jour et réussira à métaboliser les produits chimiques et les polluants de notre environnement ainsi que les produits raffinés de l'industrie alimentaire?

Le récit biblique, dans le calme et la certitude de son immuabilité déclare: «Au commencement, Dieu créa...[6]» Et qu'on l'avoue ou non, devant une telle déclaration le cœur de l'homme bat d'une émotion pleine de nostalgie...

Au commencement... Le dogme de l'évolutionnisme nous dit que l'homme était une brute, un chasseur, un carnivore déchirant sans élégance une proie qu'il mangeait le dos rond et le front baissé.

Au commencement... Le récit biblique nous dit que l'homme, sorti des mains de Dieu était créé à son image et fait à sa ressemblance et que Dieu lui-même lui donna un régime composé de céréales, légumineuses et graines ainsi que de fruits et noix.

Aujourd'hui, un anthropologue, le docteur Vaughn Bryant, chef du département d'anthropologie à la *Texas A and M University*, College Station, Texas, affirme sans ménagement: L'homme préhistorique chasseur et carnivore est un mythe. Sur quoi se base-t-il pour faire une telle déclaration? Sur ses études, étalées sur plusieurs années, des coprolithes, des excréments fossiles. Les coprolithes racontent l'histoire de ce qu'une personne a mangé des milliers d'années auparavant et non seulement de ce qu'elle a mangé mais aussi de la manière dont elle l'a préparé. Par un coprolithe, on peut savoir si l'aliment ou les aliments consommés étaient crus ou cuits, si les graines étaient moulues ou mâchées. La mastication fait éclater la graine d'une manière alors que la mouture le fait d'une autre manière et le coprolithe l'indique avec exactitude. Ainsi donc, selon ces excréments fossiles, le docteur Bryant peut affirmer avec certitude que la nourriture de l'homme «préhistorique» était composée de fruits, de noix, de millet, de verdures en abondance. Il consommait très peu d'œufs, de lait ou de viande et le gras ne formait même pas 10% de ses calories totales[7].

En dehors des chimères, toutes les données actuelles de la science, de l'histoire, de la tradition et de la révélation biblique[8] s'accordent pour affirmer et prouver que l'homme, depuis la création du monde a été végétarien, que l'introduction de la viande dans son régime fut accidentelle et son usage, jusqu'à tout récemment, toujours très restreint. Par contre, il n'y a pas d'hésitation: brute évoluée ou homme créé, l'homo sapiens n'a jamais consommé de sucre. Pendant des millénaires son alimentation a été composée strictement, exclusivement et uniquement d'aliments tirés du sol et consommés tel quel, sans ajout ni retrait et comme les coprolithes analysés par le docteur Bryant le démontrent, plus précisément de céréales entières agrémentées d'une abondance de fruits frais, de légumes verts et de noix, le plus souvent crus et soigneusement mastiqués entre de puissantes dents immunisées contre la carie dentaire.

Certes, on est prêt à accepter que le sucre ne figurait pas au menu de nos ancêtres, mais c'est avec satisfaction que l'on se plaît souvent à penser que l'homme antique utilisait le miel. Une mention très ancienne de ce produit figure dans le papyrus Ebers qui nous indique que, vers 2000 avant Jésus-Christ, il y avait du miel dans le butin que le roi Kamose avait ramené lors de son expédition contre Hyksos; il nous dit aussi que la Syrie paya le tribut qu'elle devait à Thutmose III sous forme de miel: 245 kg. Ce tribut, selon nos critères de consommation de miel ou de sucre, serait un tribut ridicule. Nous avons là l'indication de l'extrême rareté du miel, de son prix exorbitant et par conséquent de son usage excessivement restreint[9]. Plus encore, selon les indications fournies, il semble que tout ce miel, à Babylone et en Égypte était employé pour le culte des dieux lors de la consécration des temples et au cours des sacrifices[10]. On suppose que c'est pour cette raison que la loi mosaïque interdisait au peuple d'Israël, l'utilisation du miel dans la pratique cérémonielle[11]. La religion du Dieu vivant, Créateur du ciel et de la terre, ne devait d'aucune manière refléter celle des dieux païens.

Il est surprenant de remarquer que l'Église chrétienne de 150 à 400 ployant sous un souffle grec[12], a utilisé le miel dans le rite du baptême, en particulier dans les Églises coptes et africaines. Plus tard, les croyances populaires attribuèrent à l'abeille la vertu de la virginité. Cette idée est probablement née de son association avec Diane, la déesse qui ne voulut pas se marier. C'est à ce fait que remonte l'usage obligatoire, encore en vigueur dans les Églises orthodoxe et catholique romaine, de la cire d'abeilles pour les chandelles offertes en vertu d'un voeu[13].

Dès le troisième siècle de l'ère chrétienne, le miel apparaît dans les codes civils qui, par des lois précises réglementent sa production et plus particulièrement celle de l'alcool que l'on en tire, l'hydromel. On possède un décret du roi de Sussex qui, en 698, permet que les loyers soient payés avec du miel. Les inventaires du temps de Charlemagne (742-814) indiquent que le miel, comme médicament essentiellement, et l'hydromel, comme boisson courante, étaient des articles réguliers de la production des nobles[14], de ces nobles turbulents, ripailleurs, libertins et oppresseurs.

L'usage du miel en Europe, tout particulièrement sous sa forme alcoolisée, alla en augmentant jusqu'au 15e siècle, pour être à cette époque, presque totalement abandonné et remplacé rapidement par un miel étrange, de plus en plus abondant, de moins en moins cher: le saccharum.

Depuis des millénaires, il poussait dans des cannes ondulant sous la chaude brise des climats tropicaux et dans ce lointain passé, tout comme le miel des abeilles, il servait presque exclusivement au culte des dieux, en particulier au culte du dieu soleil à qui des âmes tremblantes l'offraient en sacrifice d'apaisement[15].

Ils étaient exigeants ces dieux, susceptibles, colériques et ils savaient déjà, rongés par le mal du sucre comme ils l'étaient, être étrangement cyniques. De vieux manuscrits orientaux nous disent que lorsqu'un de ces dieux se fâchait, il condamnait sa malheureuse victime à une vie réincarnée en un esclave obligé de peiner dans un champ de canne à sucre, sans jamais avoir la possibilité d'y goûter[16]. Le mal du sucre, dans ce lointain passé, c'est déjà le mal du désir qui enchaîne, qui asservit, qui torture; c'est la domination et le règne du ventre, sans pitié, sans grâce.

Bizarre goût du sucre de ces dieux, caricatures inquiétantes de l'homme... Réconfortante insistance du Dieu qui s'appelle miséricordieux, lent à la colère, riche en bonté et qui pardonne le péché, la rébellion et l'iniquité, pour le sel: «Tu mettras du sel sur toutes tes offrandes. Tu ne laisseras pas tes offrandes manquer de sel, signe de l'alliance de ton Dieu, sur toutes tes offrandes tu mettras du sel[17].»

La canne à sucre, originaire du Sud du Pacifique, s'est lentement propagée en Chine, puis aux Indes où on apprit à la cultiver dans son jardin, à la sucer, à en utiliser les fibres dans le pain et à en extraire un jus fragile qui fermentait rapidement.

L'histoire inexorable accomplit ses desseins. En 325 av. J.C., l'armée d'Alexandre le Grand envahit l'Inde et ses soldats découvrent ce qu'ils vont appeler «le miel sans abeilles». Quelques siècles plus tard, un écrivain du temps de Néron frappe le nom latin de cette plante étrange en la décrivant comme «une sorte de miel cristallisé appelé saccharum que l'on trouve dans des cannes aux Indes et en Arabie. Il a la consistance du sel et il est cassant sous les dents[18]». Pline dans son *Histoire naturelle* XII 8 en décrit l'usage: «Il est uniquement utilisé comme médicament.» Cependant, pendant près de mille ans, depuis le temps de l'invasion d'Alexandre le Grand aux Indes jusqu'au temps de l'invasion islamique en Afrique du Nord, la noblesse grecque et romaine n'eut qu'une connaissance vague et aucun contact avec le sucre[19]. Le mal du sucre leur était gracieusement épargné.

Pendant ce temps, l'empire persan prospérait et découvrait un processus capable de solidifier et de raffiner le jus de la canne dans une masse solide qui pouvait se conserver sans fermenter. Nous sommes en 600 après J.C. La Chine importe des pains de ce «miel de pierre» de Bokhara où un écumage attentif du jus de canne et l'addition de lait, permettent de blanchir ce luxe impérial qui est néanmoins encore considéré non comme un aliment mais comme un remède miraculeux contre la peste et les épidémies.

Comme les empires sont tour à tour élevés et abaissés, la Perse tomba un jour sous le coup des armées arabes qui la conquirent et lui arrachèrent comme trophée, le secret de la transformation de la canne à sucre en médicament. Bientôt, le centre des affaires du sucre se déplaça de Bagdad à la Mecque et ce commerce se développa au point que les Arabes furent les premiers conquérants du monde capables de fournir des bonbons et des boissons sucrées en abondance aux nobles de la cour et aux soldats de l'armée jusqu'à ce que le mal du sucre, inexorable, les frappe pour la première fois dans l'histoire du monde, en plein cœur. Léonhard Rauwolf, en

1573, le décrit en ces termes: « Les Turcs et les Maures prennent un morceau de sucre après l'autre et ils les mastiquent et les mangent ouvertement partout dans les rues sans aucune honte... C'est ainsi qu'ils se sont adonnés à la gloutonnerie et qu'*ils ne sont plus les combattants intrépides qu'ils étaient autrefois.* »

Aux yeux de Rauwolf, la manie pathologique du sucre des armées du Sultan était semblable à celle de l'héroïne et de la marijuana que les observateurs modernes purent constater parmi les troupes américaines stationnées en Asie. « Les Turcs et les Maures se sont adonnés à la gloutonnerie et ils ne sont plus aussi indépendants et courageux pour aller contre leurs ennemis et se battre comme dans le temps passé. » Nous avons là probablement le premier avertissement, écrit par un homme de science, au sujet du mal du sucre et de ses étonnantes conséquences[20].

Mais ceci n'était que le commencement des misères. Au contact de l'Islam, par le biais des croisades, la Chrétienté devait bientôt goûter à cette substance puissante. Les effets secondaires de ce médicament se révélaient une fois de plus dangereux, toxiques, imprévisibles, irréversibles et capables de créer l'accoutumance et la dépendance. Les croisades... Les chrétiens boivent et mangent goulûment le jus de la canne fermenté et les bonbons des « Infidèles » devenus d'efficaces pots-de-vin plus enviés et plus convoités que les lieux saints... En 1306, la Chrétienté — elle a maintenant compris pourquoi elle devait se battre — reçoit un appel à renouveler les croisades: « Dans le pays du Sultan, le sucre croît en grande quantité et le Sultan en retire de grands revenus et beaucoup de taxes. Si les chrétiens pouvaient s'emparer de ses terres, cela infligerait au Sultan un coup mortel et en même temps cela permettrait à la Chrétienté d'être complètement alimentée par Chypre. La canne à sucre est aussi cultivée en [Espagne], à Malte et en Sicile et elle pourrait pousser dans d'autres terres chrétiennes si elle y était cultivée. En ce qui concerne la Chrétienté, il ne s'en suivrait aucun mal[21]. »

Le mot d'ordre clair et sonore était donné. En 1444, Henri le Navigateur du Portugal partait pour explorer la côte ouest de l'Afrique à la recherche de champs de canne à sucre en dehors de la domination arabe. Il n'en trouva point mais il découvrit des hommes noirs accoutumés à travailler sous le soleil torride et il en ramena 235 à Séville où ils furent vendus comme esclaves. C'était le début d'un trafic qui amena une partie du monde, pendant des siècles, à faire mentir la Bible: Dieu « a fait que *tous* les hommes sortis d'un *seul* sang habitassent sur toute la surface de la terre, ayant déterminé la durée des temps et les bornes de leur demeure; il a voulu qu'ils cherchassent le Seigneur et qu'ils s'efforçassent de le trouver en tâtonnant, bien qu'il ne soit pas loin de nous, car en lui nous avons la vie, le mouvement et l'être[22]. » Où, comment trouver dans des paroles si claires, la moindre justification à l'oppression de l'homme par l'homme? En 1493, l'Espagne ayant enfin réussi à se libérer de la tutelle arabe se retrouve propriétaire des champs de canne à sucre de Grenade et d'Andalousie. Lors de son second voyage dans le Nouveau Monde, Christophe Colomb, à la suggestion de la reine Isabelle, apporte avec lui quelques bâtons de canne à sucre. Dès sa naissance, le Nouveau Monde devait être inoculé par le mal du sucre et son venin devait très rapidement envahir une Europe qui manifesta bientôt de sérieux symptômes d'intoxication.

En 1598, un voyageur allemand remarque les dents noires d'Élisabeth I et fait le commentaire suivant: « C'est un défaut auquel les Anglais semblent sujets à cause de leur trop grande consommation de sucre[23]. »

En 1674, le docteur Thomas Willis publie un traité médical dans lequel il décrit un phénomène extraordinaire et nouveau, une maladie aux symptômes divers et qui se manifeste par une urine abondante et exceptionnellement sucrée. Docteur d'une Couronne profondément engagée dans le commerce lucratif du sucre, le docteur Willis nomme cette maladie: diabetes mellitus, l'inflammation du miel[24] !...

Vers la fin du 18e siècle, alors que la consommation européenne de sucre en 200 ans a grimpé d'une ou deux pincées par ci par là dans quelques tonneaux de bière, à plus de un million de kilos par an pour l'Angleterre seulement, commence la grande incarcération des fous[25]. L'histoire de la folie est en train de s'écrire, étrangement parallèle à celle du sucre. Mais alors que l'on brûle les sorcières, exorcice les possédés, enferme les déments, torture les victimes d'une sexualité auto-érotique, psychanalyse les psychosés et «lobotomise»*les schizophrènes, comment croire que le seul démon de ces âmes, tout au long de ces siècles est le mal du sucre? «Aujourd'hui, les pionniers de la psychiatrie orthomoléculaire, tels que les docteurs A. Hoffer, Allan Cott, A. Cheraskin et Linus Pauling ont confirmé que la maladie mentale est un mythe et que les désordres émotifs peuvent tout simplement n'être que les premiers symptômes de l'incapacité évidente du système humain à supporter le stress de la dépendance du sucre[26].»

Le mal du sucre, entretenu par une économie florissante prend de la puissance. Le plus grand défi que le corps humain ait jamais connu dans toute l'histoire de l'homme est en train de changer son comportement, sa mentalité, sa morphologie, son caractère, son esprit. Il faut songer à l'étendue de ce défi pour en saisir profondément la véritable portée. Le mal du sucre, d'épidémique, en quelques siècles est devenu endémique, de local, il est devenu mondial. Les chiffres suivants sont là pour vous en convaincre.

De 1700 à 1709, en Angleterre la consommation annuelle de sucre, par personne est de 2 kilos. En 1800, elle est de 8 kg. En 1900, elle est de 38 kg. En 1933, un relevé mondial indique que l'Angleterre consomme 48 kg de sucre par personne et par an; le Danemark 56 kg; la Suisse 47 kg; Hawaï 58 kg; l'Australie 51 kg; les États-Unis 46 kg; le Canada 42 kg; la Suède 46 kg; la Hollande 37 kg; Cuba 37 kg; la France 25 kg; la Russie 7 kg; la Chine 1,4 kg**[27]. Pour chacun de ces pays, la Deuxième Guerre mondiale a entraîné un abaissement de la consommation de sucre qui s'est fait heureusement

* Egas Moniz, de Lisbonne, en 1935, offre la réponse ultime à la schizophrénie: l'incision chirurgicale du cerveau au moyen de la lobotomie préfrontale.

** En 1967, le plus célèbre neuro-psychiatre chinois pouvait affirmer avec insistance: «les névroses et les psychoses n'existent pas chez nous, pas même la paranoïa[28]» (psychose caractérisée par un orgueil exagéré, de l'égoïsme, de la susceptibilité, de la méfiance).

sentir par une amélioration étonnante de la santé des populations européennes et en particulier de leur santé dentaire. Mais une fois la guerre finie, la consommation de sucre reprit de plus belle. En 1970, l'Angleterre consommait 54,5 kg de sucre par an et par personne; l'Irlande 57 kg; les États-Unis et le Canada 46,4 kg[29]. Ces chiffres ne prennent pas en considération la consommation supplémentaire de miel, de mélasse, de sirop d'érable, de sirop de maïs. Les Esquimaux du Canada entre 1959 et 1967 ont augmenté leur consommation de sucre de 11,8 kg à 47,3 kg, les Zoulous ruraux de l'Afrique du Sud entre 1953 et 1964 ont augmenté leur consommation de sucre de trois kilos à vingt-sept kilos[30].

Un médecin, le docteur Abram Hoffer tourne le couteau dans la plaie, lorsqu'il nous rappelle la véritable signification de ces statistiques: «La consommation de sucre, au cours des 300 dernières années a augmenté de moins de 2,3 kg par an et par personne à plus de 46 kg par an et par personne. Cela est un chiffre moyen calculé en incluant les bébés et les personnes qui, avec sagesse, ne consomment que très peu de sucre et il signifie qu'un grand nombre de personnes mangent plus de 90 kg et même 136 kg de sucre par an. Une personne qui mange 500 g de sucre par jour, consomme 900 calories tirées du sucre ou environ 40% de son apport total en calories[31].» Saviez-vous que pour consommer sous forme de canne à sucre les deux cuillères à soupe de sucre qui se trouvent dans une cuillère à soupe de confiture, il faudrait en manger six mètres[32]?

Rappelez-vous les coprolithes du docteur Bryant... Aujourd'hui, l'Américain moyen mange chaque année 46 kg de sucre blanc de table; 6,4 kg de sirop de maïs (dextrose, glucose); 24 kg de graisses et d'huile; 21 kg de lait; 3,2 kg de riz; 45,5 kg de farine blanche; 6,4 kg d'œufs; 8,2 kg de fruits; 22,3 kg de légumes; 9,5 kg de céréales, de maïs et de pain de blé entier; 8,6 kg de fèves et de noix; 90 kg de viande, volaille et poisson[33]. Un regard critique sur cette liste nous obligerait à remarquer que le riz est du riz blanc, raffiné; que les fruits sont en grande partie des fruits conservés ou congelés dans du sucre; que les légumes sont en grande partie des pommes de terre et donc pas des légumes verts ou jaunes beaucoup plus riches en vitamines et en minéraux; que les céréales sont des céréales raffinées en boîte, du maïs dégermé et du pain raffiné; que les noix sont rôties et salées; que la consommation d'alcool, de boissons sucrées, de café, de thé, de chocolat n'est pas indiquée.

Encore une fois, pensez aux coprolithes de ces hommes dits préhistoriques. Là aucune trace de sucre, de farine blanche, de céréales raffinées, un soupçon d'œufs, de lait, de viande et de graisses, et une abondance de fruits frais, de légumes verts, de céréales complètes, de noix crues... Le docteur Bryant fait la remarque suivante: «Autant que je puisse le dire, nos ancêtres menaient une vie dure mais saine. Leurs squelettes ne démontrent aucune des infirmités ou difformités qui indiqueraient qu'ils souffraient de carences nutritionnelles. Je n'ai trouvé qu'un seul crâne néanderthalien qui avait une carie dentaire[34].»

Alors que la consommation de sucre, ce produit étrange et nouveau allait en augmentant, il se produisait simultanément d'autres changements drastiques dans l'alimentation millénaire de l'homme.

Le café, découvert aux environs de 850 après J.C., bien que considéré et combattu dès son apparition comme une boisson suspecte, gagna assez rapidement une popularité désastreuse. On rapporte que ses propriétés exaltantes furent tout d'abord utilisées par les musulmans d'Arabie pour leur permettre de rester éveillés pendant leurs longs services religieux et cela en dépit d'une opposition farouche de la part de leurs chefs religieux strictement orthodoxes. Le café se répandit assez rapidement dans toute l'Arabie puis lentement à l'Europe et il finit par gagner une grande popularité au 17e siècle, en particulier à Londres, où les «cafés» devinrent les lieux privilégiés de l'activité commerciale, littéraire et politique. Malgré de nombreuses tentatives de la part de la profession médicale cherchant à entraver son ascension populaire, le café devint bientôt une boisson courante, honnête, vertueuse. L'homme moderne, que le mal du sucre était en train d'affaiblir, avait besoin de l'effet puissant et stimulant du café. En 1900, un manuel de médecine «A System of Medecine» déclare: «Nous avons vu plusieurs cas bien précis de l'abus du café... Le patient est tremblant et il perd le contrôle de lui-même. Il est enclin à des crises d'agitation et de dépression. Il perd ses couleurs et a un air hagard. Il perd l'appétit et a des symptômes de catarrhe digestive. Le cœur est également affecté. Il a des palpitations ou des battements irréguliers. Comme c'est le cas pour toutes les substances de ce genre, une dose renouvelée du poison soulage momentanément mais au prix d'une nouvelle misère[35]. »

L'usage du thé et du cacao, substances du même genre que le café et parvenues en Europe à peu près en même temps que le café ajoutèrent à ses ravages. D'autre part, l'introduction de la pomme de terre, au 18e siècle, un tubercule riche en sucre et pauvre en vitamines B, devait radicalement changer les habitudes alimentaires de l'Occident et déplacer l'usage des céréales entières riches en vitamines B et en protéines, le millet, le sarrazin, l'orge, l'avoine et le seigle. Tout comme le cheval qui, une fois habitué aux carottes, dédaigne l'avoine et le foin, l'homme occidental, attaché au goût doux de la pomme de terre délaissa les céréales fades qu'il avait l'habitude d'agrémenter de nombreux fruits et légumes, pour se tourner avec plus de détermination vers les confections sucrées[36].

Finalement, l'invention du moulin à cylindres d'acier, aux environs de 1870 devait permettre à l'homme, au seuil du 20e siècle, l'usage généralisé et massif de la farine blanche. Cela faisait longtemps que le goût et le désir du pain blanc flottait dans l'air. Le coût élevé du raffinage avait cependant restreint son usage à la classe riche. Maintenant la pauvreté n'allait plus être une garantie et une protection de la santé du peuple. Le riche et le pauvre allaient bientôt être solidaires, en rompant le même pain, dans le partage des mêmes maux, tout particulièrement en devenant l'un et l'autre constipés.

Nous sommes arrivés au seuil du 20e siècle. Un monde entier mange, boit et respire des produits qui quatre cents ans auparavant n'existaient pas. Pour la première fois dans l'histoire moderne, en 1911, le mal du sucre commence à être dénoncé par la communauté scientifique. La *International Research Foundation* déclare aux États-Unis que le sucre est un irritant de l'estomac et une cause de fermentation. En 1912, le docteur Robert Boesler déclare: «La fabrication moderne du sucre a entraîné des maladies complètement nouvelles. Le sucre du commerce n'est rien d'autre que de l'acide cristallisé. Si dans le temps passé le sucre était tellement cher que seuls les riches pouvaient se permettre de l'utiliser, cela était du point économique national, sans conséquence. Mais aujourd'hui quand, à cause de son bas prix, le sucre a entraîné la dégénérescence du peuple, il est temps d'exiger une mise en garde nationale. La perte d'énergie par l'usage du sucre au siècle dernier et au début de ce siècle ne pourra jamais être rattrapée car elle a laissé sa marque sur notre race. (...) Ce qui a été détruit par le sucre est perdu et ne pourra jamais être retrouvé[37].»

Quatorze ans plus tard, il est reconnu comme une cause importante de maladie et d'obésité. Dans les années 40, on entend dire que le sucre est un aliment pour lequel l'individu développe un goût excessif et un penchant, et qui ne donne rien d'autre que des calories vides. En 1950, on déclare officiellement qu'il est la cause majeure de la carie dentaire. En 1960, on a les preuves qu'il diminue la résistance du corps aux maladies. On découvre également la relation étroite qui existe entre l'usage du sucre et les infections staphylococciques[38].

En 1970, le docteur John Yudkin déclare sans ménagements: «Premièrement, il n'y a aucun besoin physiologique pour le sucre: tous les besoins de la nutrition humaine peuvent être complètement comblés sans avoir à prendre une seule cuillerée à thé de sucre blanc, de sucre brun ou de sucre brut, tel quel, dans les aliments ou dans les boissons. Deuxièmement, si seulement une petite fraction de ce qui est déjà connu au sujet des effets du sucre devait être révélée et mise au compte d'un quelconque additif alimentaire, cet additif serait promptement banni[39].»

En 1980, le docteur Abram Hoffer affirme que «le sucre produit une assuétude aussi grave que n'importe quelle autre drogue. La seule différence entre la dépendance envers l'héroïne et la dépendance envers le sucre est que le sucre n'a pas besoin d'être injecté, il peut être consommé immédiatement parce qu'il est disponible et il n'est pas considéré comme une plaie sociale. Cependant la puissance de la dépendance du sucre est aussi forte que la dépendance de l'héroïne[40]. »

Le docteur Hoffer raconte, dans ce contexte, l'histoire d'un garçon de sept ans qui se faufilait en pleine nuit dans la cuisine pour voler de pleines poignées de sucre. Cette histoire éveille-t-elle en vous quelques échos? Le docteur Hoffer nous rappelle également le nombre croissant d'adolescents qui ont un goût excessif pour les sucreries et les friandises et qui en dévorent bien qu'ils soient conscients que leur comportement est normal lorsqu'ils n'en consomment pas et pathologique lorsqu'ils y touchent. Il décrit une de ses patientes qui buvait 12 bouteilles de boissons sucrées quotidiennement juste pour pouvoir continuer à fonctionner. Si elle passait seulement trente minutes sans boire son eau sucrée, elle tombait dans la dépression et le désespoir[41]. Le docteur Hoffer conclut: « La dépendance du sucre cause des symptômes de sevrage typiques aussi graves que ceux qui accompagnent le sevrage de n'importe quelle autre drogue[42]. » Il est, à la lumière de cette déclaration d'un médecin habitué aux désintoxications du sucre, facile de comprendre pourquoi, lorsque l'on parle du sucre, la majorité des gens réagissent avec violence et agressivité. Ils se sentent douloureusement menacés dans leur toxicomanie puissante.

Il y a maintenant 400 ans que le mal du sucre livre notre race à la déchéance sociale, physique, morale et intellectuelle. Aujourd'hui, alors que le sucre attaque son pancréas et l'amène à une hypersensibilité qui l'entraîne à détruire le glucose du sang, alors que le café, le thé, les colas et le tabac épuisent ses surrénales qui ne réussissent plus à élever le glucose du sang, alors que la farine blanche et l'alcool affaiblissent son foie qui n'arrive plus à stocker correctement puis à relâcher le glucose dans le sang, pour l'homme de la fin du 20e siècle, le mal du sucre s'appelle: L'HYPOGLYCÉMIE.

---

1. Dufty William, *Sugar Blues,* Warner Books, 1975, p. 31.
2. Deerr Noel, *The History of Sugar,* Chapman and Hall, Londres, 1949, Vol. 2 p. 284.
3. Ibid., Vol. 1, p. 147.
4. Dufty William, *Sugar Blues,* p. 68.
5. Cheraskin et Ringsdorf, *Psychodietetics,* p. 5.
6. Genèse 1, (1).
7. *Prevention Magazine,* septembre 1979.
8. Flori Jean, *Genèse ou l'anti-mythe,* Éditions SDT, 1980, France.
9. Deerr Noel, *The History of Sugar,* Vol. 1, p. 6.
10. Ibid.
11. Lévitique 2, (11).
12. Hatch Edwin, *The Influence of Greek Ideas on Christianity,* Harper and Row, New York, 1966.
13. Deerr Noel, *The History of Sugar,* Vol. 1, p. 9.
14. Ibid.
15. Deerr Noel, *The History of Sugar,* Vol. 1, p. 13.
16. Deerr Noel, *The History of Sugar.*
17. Lévitique 2, (13).
18. Deerr Noel, *The History of Sugar,* Vol. 1, p. 65.
19. Ibid., Vol. 1, p. 66.
20. Dufty William, *Sugar Blues,* p. 30.
21. Ibid. p. 31.
22. Actes 17, (26-27).
23. Yudkin John, *Sweet and Dangerous,* p. 137.
24. Dufty William, *Sugar Blues,* p. 75.
25. Foucault M., *L'histoire de la folie.*
26. Dufty William, *Sugar Blues,* p. 62.
27. Deerr Noel, *The History of Sugar,* Vol. 2, p. 532.
28. Goffredo Parise, «*No Neurotics in China*», *Atlas,* février 1967, Vol. 13, p. 47.
29. Yudkin John, *Sweet and Dangerous,* p. 40.
30. Ibid.
31. *A Physician's Handbook on Orthomolecular Medecine,* p. 18.
32. Schwantes Dave, *The Unsweetened Truth About Sugar and Sugar Substitutes,* Doubletree Press, Inc., Washington, p. 66.
33. *Britannica Yearbook of Science and the Future,* 1972.
34. *Prevention Magazine,* Septembre 1979.
35. *Medical World News,* 26 janvier 1976, p. 70.
36. Deerr Noel, *The History of Sugar,* Vol. 1, p. 1.
37. Dufty William, *Sugar Blues,* p. 42.
38. *Lifestyle,* St. Helena Hospital and Health Center, Californie, Hiver 1981, p. 2.
39. Yudkin John, *Sweet and Dangerous,* p. 5.
40. Hoffer Abram, *Orthomolecular Nutrition,* p. 100
41. Ibid.
42. Ibid.

2

La maladie de notre siècle

Chaque génération, chaque époque, chaque civilisation, aussi loin que l'on remonte dans le temps a connu «ses maladies» qui étaient la conséquence directe de son ignorance ou de son mépris des règles élémentaires de l'hygiène et de la nutrition. Chaque génération, chaque époque, chaque civilisation, a également eu «ses prophètes» qui n'étaient pas prophètes dans leur pays et dont l'enseignement au sujet des causes de ces problèmes était rejeté, raillé, ignoré, combattu. Les maux dont l'humanité souffre, pour la majorité, ont toujours été mystérieux, fatals, «sans cause» et donc irréversibles.

Au 11e siècle, Maimonide, un médecin et philosophe de Cordoue enseignait à ses disciples de manger du pain de blé entier (le raffinage faisait déjà partie des mœurs de l'aristocratie), de s'éloigner des villes à l'air pestilentiel et de s'établir sur le sommet des collines bien ventilées et ensoleillées. C'était sa recette éprouvée de santé pour une humanité qui évoluait chaque jour au milieu de ses excréments et de ses déchets jetés délibérément dans les rues. Ceux-ci s'empilaient là, recouverts de nuées de mouches bourdonnantes qui se posaient ensuite partout et sur tout, ils étaient fouillés par des porcs qui y pataugeaient librement, et sillonnés par des rats pouilleux.

Jusqu'à la fin du 18e siècle, où l'on commença à comprendre la nécessité de ramasser les déchets et de les sortir des villes, la lèpre, la peste, la dysenterie, la fièvre typhoïde, le choléra décimèrent sans pitié une population superstitieuse et sale qui préférait faire la chasse aux sorcières plutôt qu'aux ordures.

Vienne... au 19e siècle: l'aristocratie brillante s'égaie aux sons des valses de Strauss alors que des milliers de femmes meurent en proie à l'agonie de la fièvre puerpérale. Le docteur Ignaz P. Semmelweiss affirme que ces morts sont inutiles. L'atroce maladie qui tue une femme sur six qui accouchent à l'hôpital alors que celles qui restent à la maison en sont indemnes, est, selon lui, causée par l'ignorance des médecins qui, chaque matin, sans se laver les mains ni changer de vêtements, passent de la salle des autopsies où ils ont disséqué les cadavres de femmes mortes la veille, à la maternité où ils font aux malheureuses victimes un examen vaginal. Semmelweiss supplie ses confrères de se laver les mains et leur donne la preuve que ce simple geste enraye drastiquement la maladie. Méprisé, renvoyé, il meurt en 1865, enfermé dans un asile. Son cerveau brillant et compatissant a sombré dans une folie hantée par les cris de terreur de milliers de femmes et les railleries acerbes de ses confrères qui refusent de croire à son explication de la cause de la fièvre puerpérale. Alors qu'eux y voient une conséquence de la constipation ou d'une lactation retardée, ils ne peuvent accepter que cette épidémie soit causée par leurs propres mains sales[1].

Oui, la lèpre, le choléra et la dysenterie au Moyen Âge; la peste jusqu'au 18e siècle; la petite vérole au 17e et 18e siècle; la tuberculose et la syphilis au 19e siècle; à chaque époque ses maladies, ses remèdes. Aux léproseries et aux sanatoriums ont succédé les asiles et les maisons de santé mentale. On reconnaît à notre époque la suprématie du cancer et des maladies mentales que l'on appelle de plus en plus, maladies de civilisation ou de dégénérescence. Aussi mystérieuses pour la majorité que la fièvre puerpérale des accouchées des hôpitaux de Vienne par exemple, ces maladies ont pour d'autres des causes évidentes.

Les prophètes de notre temps, les médecins Seale Harris, Harry H. Salzer, John W. Tintera, Stephen Gyland, E.M. Abrahamson, Abram Hoffer, Humphrey Osmond, Harvey Ross et plusieurs autres, classent un nombre étonnant de désordres mentaux et physiques sous le nom déroutant d'hypoglycémie (abaissement du taux de glucose dans le sang). Ils affirment que cette maladie, causée par nos erreurs d'hygiène et de nutrition attaque 50 millions d'Américains[2]; le docteur Abram Hoffer, psychiatre, parle de tout près de la majorité de la population (35 à 50%[3]) et le docteur Alan H. Nittler n'hésite pas à dire qu'elle transforme la vie de près de 80%[4] de la population nord-américaine en un cauchemar panoramique hideux. En effet, selon ces experts la presque totalité des alcooliques (95%) est affligée de ce dérèglement[5]; les ⅔ des personnes neurotiques et psychotiques peuvent attribuer directement leurs problèmes à l'hypoglycémie[6]; la totalité des asthmatiques est hypoglycémique[7]; « l'hypoglycémie relative est présente chez près de 70% des schizophrènes et 100% d'entre eux ont un régime inadéquat[8] ».

« Il n'y a probablement aucune maladie aujourd'hui qui cause une souffrance aussi généralisée, tant de mauvais rendements et de perte de temps, tant d'accidents, tant de foyers brisés et de suicides que l'hypoglycémie. »

Le docteur Stephen Gyland, un médecin pratiquant en Floride (États-Unis) est l'auteur de cette déclaration. Il l'a faite au cours d'une réunion de l'Association médicale américaine en 1957. Il venait de découvrir après trois années de souffrance intense, au cours desquelles il avait consulté quatorze spécialistes et visité trois cliniques mondialement connues, dont la clinique Mayo, que la cause de sa faiblesse, de ses étourdissements, de ses évanouissements, de ses anxiétés sans raison, de ses tremblements, des saccades de son cœur, de ses difficultés à se concentrer et de ses pertes de mémoire, était tout simplement... l'hypoglycémie. Au cours de ses recherches désespérées pour retrouver la santé, aucun médecin ne lui avait fait passer un test d'hyperglycémie provoquée et le seul médecin qui avait soupçonné qu'il pouvait souffrir d'hypoglycémie lui avait prescrit une consommation régulière de bonbons et de chocolat (prescription qui ne pouvait qu'aggraver sa situation). Les autres médecins, bien qu'ils ne soient pas arrivés à trouver ce qui n'allait pas avec lui, avaient posé un assortiment de diagnostics: tumeur cérébrale, névrose, diabète, artériosclérose cérébrale.

Toujours aussi malade et incapable de poursuivre sa pratique médicale, malgré les traitements suggérés, le docteur se mit fébrilement à chercher la solution à son problème en fouillant la littérature médicale. C'est ainsi qu'il tomba par hasard sur le manuscrit du docteur Seale Harris sur l'hypoglycémie et ses symptômes[9]. Tous les symptômes décrits étaient les siens! Il passa immédiatement le test d'hyperglycémie provoquée qui confirma son diagnostic, il suivit le régime prescrit par Seale Harris et put observer la disparition de ses symptômes l'un après l'autre.

La tragédie de cette histoire vraie et authentique en tous points[10] est que, bien que ce document du docteur Seale Harris ait été publié vingt-cinq ans avant que le docteur Gyland ne devienne malade, aucun spécialiste consulté, aucune clinique réputée ne le connaissait.

Le docteur Gyland qui, une fois guéri devint rapidement un spécialiste de l'hypoglycémie, a comparé les multiples facettes de l'hypoglycémie à celles de la syphilis. En effet au 19e siècle, cette maladie vénérienne était connue pour être «la grande imitatrice», c'est-à-dire une maladie aux manifestations multiples et déroutantes: tant cutanées que muqueuses, ganglionnaires, méningitées, nerveuses et même congénitales. À cette époque seuls les médecins qui savaient la soupçonner sous ses divers visages, pouvaient la traiter correctement. Il en est de même aujourd'hui avec l'hypoglycémie, une maladie du métabolisme des sucres et dont les symptômes variés peuvent être physiques, nerveux et mentaux.

Revenons au docteur Seale Harris. En 1924 il décrit une maladie qui présente les symptômes d'une trop forte dose d'insuline: état de choc, étourdissement, nervosité, sueurs froides, irritabilité, tremblements, anxiété, perte de conscience. Il découvre que le pancréas peut être hyperactif et hypersensible au sucre et à la farine blanche et réagir à l'ingestion de ces produits par un excès d'insuline qui entraîne un abaissement critique du glucose sanguin. Atroce est le fait que les symptômes ne peuvent s'arrêter, car l'excès d'insuline est constant. En effet, le pancréas travaille en présence de sucre et d'amidon et chaque quantité ingérée déclenche le phénomène de réaction excessive et donc d'excès d'insuline. Oui, l'hypoglycémique heure après heure, jour après jour, année après année vit avec les symptômes que le diabétique endure brièvement lorsqu'il prend un excès d'insuline. L'hypoglycémique doit vivre la terreur, l'horreur indescriptible d'un choc insulinique chronique à des degrés variés, et supporter par dessus tout cela l'angoisse infiniment douloureuse de ne pas savoir ce qui ne va pas, de se faire dire que tout est dans sa tête et de se retrouver étiqueté comme un névrosé, un hypochondriaque, un psychotique, un excentrique, un fou, un invalide chronique, un paresseux.

Le docteur Seale Harris de Birmingham en Alabama, a reçu pour ses travaux la plus haute médaille de l'Association médicale américaine, et pourtant encore aujourd'hui la grande majorité du monde ignore ce problème et ses conséquences. Au sein d'une telle situation, il serait malheureux que l'expérience du docteur Gyland continue à se répéter à l'infini. Il serait plutôt préférable que chacun acquiert une connaissance de l'existence de ce problème.

L'hypoglycémie, en termes médicaux, se définit comme un abaissement du taux de glucose dans le sang. Elle est l'opposée du diabète et elle est très souvent son signe avant-coureur. Elle est aussi appelée par certains auteurs, diabétogénie[12]. Dans le diabète, il y a trop peu d'insuline utilisable qui circule dans le sang alors que dans l'hypoglycémie, il y en a trop. L'excès de cette hormone régulatrice du taux du glucose sanguin relâchée par un pancréas qui réagit avec une sensibilité exacerbée à toute consommation de sucre concentré ou raffiné, abaisse à un niveau au-dessous de la normale le glucose sanguin, ce qui entraîne alors une faim dévorante, un besoin ardent de sucré et une grande variété de symptômes physiques et mentaux.

Avant d'aller plus loin, il est indispensable de définir le rôle du glucose dans notre corps. On ne peut absolument pas comprendre la tragédie de l'hypoglycémie si l'on ne saisit pas la fonction vitale de cet élément. Le glucose est le sucre que le sang véhicule à chacune des cellules de notre corps, c'est l'aliment énergétique privilégié et même exclusif de certains tissus, dont le cerveau. En effet, le cerveau ne peut utiliser aucun autre sucre que le glucose et en son absence, il cesse immédiatement de fonctionner normalement et il se détériore rapidement. Si la carence en glucose est prolongée, les dommages sont irréversibles. Si la carence est profonde et qu'elle n'est pas corrigée d'urgence, le coma puis la mort s'en suivent. Chaque cellule de notre corps, seconde après seconde a besoin de glucose pour pouvoir produire l'énergie physique, nerveuse ou mentale qui lui est propre. Sans glucose, la cellule ne peut fonctionner ni vivre.

Peut-être pourrions-nous dire, bien que la comparaison soit grossière que le sucre du sang est pour notre corps ce que l'essence est pour la voiture. En l'absence de combustible, la plus belle automobile ne démarre pas. D'autre part, une panne sèche s'annonce toujours par des ratés angoissants du moteur. Tout automobiliste, devant une telle situation sait que la seule chose à faire est de trouver de l'essence. S'il se mettait à parler à sa voiture, à la cajoler, à la menacer, à la pousser ou à la tirer pour qu'elle marche, on se moquerait de lui. Ou encore, quelle déconfiture pour un conducteur de découvrir que les troubles compliqués du moteur qu'il présageait, ne sont que le résultat d'un manque d'essence! Il s'est acharné après sa voiture. Il l'a faite remorquer. Le garagiste a fouillé le moteur. Il l'a peut-être démonté. On commence à ne rien comprendre car semble-t-il, rien ne cloche. Tout est en place! Quand tout à coup, on pense à vérifier l'indicateur de la réserve d'essence. L'aiguille est à zéro. On fait le plein. Le moteur repart aussitôt comme si rien ne s'était passé... Aux nombreuses questions posées, le propriétaire répond en rougissant: «Oh! c'était tout simplement un manque d'essence.» On se moque de lui. Franchement il aurait pu y penser tout de suite. Tant de troubles, de dépenses, de temps perdu, pour une bêtise semblable...

Nous obtenons le glucose, ce combustible indispensable à partir de ce que nous mangeons. Comme cela est vrai! Nous mangeons pour vivre, et vivre, matériellement parlant, c'est avoir le glucose nécessaire au bon fonctionnement de tout notre être. Tout aliment peut se transformer en glucose qui est transporté par le sang aux diverses parties de notre corps.

Cette transformation cependant peut être plus ou moins rapide, plus ou moins complète. Le facteur de la rapidité de la transformation est la présence dans l'aliment de ses fibres naturelles et d'une foule de nutriments. Seule une transformation lente des aliments en glucose, accompagnée de l'absorption de nombreux autres éléments vitaux est pour notre corps sans danger. Les céréales complètes se transforment lentement. Les aliments raffinés, la farine blanche, le sucre blanc, l'alcool, se transforment très (trop) rapidement. Les céréales complètes fournissent au corps 100% de glucose; les légumes eux en fournissent de 3 à 20%, les fruits de 10 à 20%, les protéines 58% et les graisses 10%[13].

Pour que les activités de notre être soient régulières et ne connaissent pas de faille, il faut que le taux de glucose dans le sang soit constant (1g par litre). Ce taux est maintenu par un mécanisme régulateur complexe dans lequel plusieurs glandes endocrines et plusieurs organes jouent un rôle important en abaissant ou en élevant le taux du sucre sanguin selon les besoins.

Si nous mangeons trop d'aliments, trop rapidement transformés et assimilés, le taux de glucose dans le sang s'élève rapidement et le mécanisme régulateur se met en branle. Le cerveau envoie un ordre à travers l'hypophyse et la thyroïde, aux ilôts de Langerhans qui sont la portion endocrine du pancréas qui produit l'insuline, cette hormone dont le rôle est d'abaisser le taux du sucre sanguin. L'excès de sucre est alors emmagasiné dans le foie et dans les muscles sous forme de glycogène. Le surplus, une fois ce recyclage opéré, est transformé en graisses.

Lorsque le taux de glucose dans le sang est trop bas, le cerveau envoie un autre ordre, encore une fois par le biais de l'hypophyse et de la thyroïde aux glandes surrénales pour que celles-ci sécrètent une autre hormone, l'adrénaline qui va relâcher le sucre stocké dans le foie et le déverser dans le sang. Si cela ne suffit pas à élever le glucose sanguin, le sucre emmagasiné dans les muscles peut être relâché. Cependant le sucre transformé en graisses n'est pas facilement disponible. Seulement 10% des graisses peuvent être reconverties en glucose sanguin.

Pour plusieurs raisons que nous allons exposer tout au long de cet ouvrage, ce mécanisme, dans lequel le pancréas, les surrénales, le foie et les muscles entre autres, jouent un rôle prépondérant, peut se fausser et l'on peut se trouver en présence d'un pancréas hypersensible sécrétant trop d'insuline, de surrénales épuisées incapables d'élever le glucose sanguin, d'un foie intoxiqué incapable de stocker le glucose en glycogène et de le relâcher au besoin et de muscles mous incapables d'utiliser le glycogène stocké et de le faire circuler à nouveau dans le courant sanguin sous forme de glucose. La conséquence immédiate de tous ces défauts est un abaissement critique du glucose sanguin et l'apparition de ce que nous appelons l'hypoglycémie. C'est la panne sèche.

Nous pouvons en partie comparer ce mécanisme régulateur au thermostat qui contrôle la climatisation des bureaux. Si le thermostat ne fonctionne pas, le bureau devient trop chaud — en l'absence d'insuline, le taux de sucre s'élève trop et c'est le diabète. S'il est trop sensible et que la climatisation ne s'arrête pas à temps, le bureau deviendra trop froid — le pancréas est trop sensible au glucose et sécrète trop d'insuline, c'est l'hypoglycémie.

Nous avons dit plus haut que le seul combustible du cerveau, le seul élément qui lui permet de fonctionner est le glucose. Oui, le cerveau n'utilise que du glucose — il est excessivement important de le comprendre et il en utilise 30% de plus que tous les autres tissus du corps. Un manque de glucose, même infime, est suffisant pour bloquer brutalement le fonctionnement de cet organe ainsi que celui du système nerveux. Or toutes les activités pensantes, émotives et physiques de notre être ont leur siège dans le cerveau. Il n'y a pas une pensée, pas une émotion, pas un désir, pas un sentiment qui ne naisse en nous qui ne soit le résultat de réactions biochimiques spécifiques dans notre cerveau. La pensée et les perceptions sont les fonctions biologiques du cerveau tout comme la digestion est la fonction biologique de l'estomac et les unes comme l'autre peuvent être altérées biochimiquement. Oui, notre

cerveau est le siège de notre personnalité totale et le glucose est l'élément vital de son fonctionnement.

Un abaissement du taux de glucose sanguin est terriblement critique. Il ébranle chaque cellule et affecte d'abord et par dessus tout le système nerveux et le cerveau. Les besoins absolument constants en glucose de ces organes sont si grands, si impérieux, tellement indispensables que le moindre défaut d'approvisionnement entraîne des souffrances et des troubles de la personnalité variés à l'infini.

Les symptômes de l'hypoglycémie, de cet abaissement tragique du glucose sont les signes de détresse d'un cerveau et d'un système nerveux incapables de transmettre leurs ordres correctement pour aucune de leurs activités. Le combustible manque.

Comprenez-le bien. Le glucose est le combustible de *toutes* les activités musculaires, nerveuses, mentales et émotives de notre corps. Sa carence affecte chacune, absolument chacune, des cellules de notre corps, de la pointe des cheveux à l'extrémité de nos orteils et peut se manifester par exemple par une bouche sèche ou en feu, des bourdonnements dans les oreilles, une mauvaise mémoire, de la sensibilité au bruit et à la lumière, un souffle court, des accès de colère, une odeur particulière de l'haleine ou de la transpiration, des nausées, des bouffées de chaleur. La personne qui souffre d'hypoglycémie a, en réalité des hauts et des bas émotifs incontrôlables. Elle est victime d'une réaction chimique qu'elle ne peut absolument pas diriger et dont les effets sont si graves que fréquemment ils ressemblent à de la folie[14].

La tendance à souffrir de ce désordre peut être héréditaire. Une personne sur dix[15], à notre époque naît avec un pancréas hypersensible, génétiquement incapable de contrôler de grandes quantités de sucre. Un tel pancréas peut très facilement se dérégler, produire trop d'insuline, brûler trop de glucose et devenir ainsi un régulateur inefficace.

L'hypoglycémie, très rarement cependant, peut aussi être causée par une tumeur cancéreuse ou bénigne du pancréas ou par l'hypertrophie de cette glande[16]. Un mauvais fonctionnement de l'hypophyse qui a été comparée à un chef d'orchestre car elle tient sous sa dépendance toutes les autres glandes endocrines de l'organisme, peut aussi causer l'hypoglycémie. En effet une des hormones qu'elle sécrète, la corticostimuline (ou adrénocorticotrophine, A.C.T.H.) entraîne la sécrétion des hormones qui contrôlent le métabolisme des glucides et des protides.

On reconnaît encore à l'hypoglycémie les causes suivantes: un mauvais fonctionnement de la thyroïde; une production défectueuse du glucagon, une hormone pancréatique dont la sécrétion augmente le taux sanguin de glucose grâce à l'activation d'un système enzymatique qui dégrade le glycogène du foie en glucose; une production défectueuse d'enzymes; des désordres du foie, organe important de la réserve des glucides, désordres causés en particulier par une carence en vitamines du complexe-B; des désordres de l'estomac qui se manifestent par un vidage trop rapide ou trop lent du bol alimentaire: un vidage trop rapide surcharge les organes de la digestion et noie le courant sanguin d'une surabondance de sucre alors qu'un vidage trop lent dû à une alimentation trop acide, trop grasse ou trop fréquente, empêche le sang d'obtenir à temps le glucose dont il a besoin[17]; finalement, l'hypoglycémie peut aussi être déclenchée et aggravée par une carence en chrome et/ou en manganèse[18], oligo-éléments essentiels pour le métabolisme des sucres et des amidons.

Cependant les causes premières les plus courantes, les plus fréquentes et les plus répandues de l'hypoglycémie, de cette hypoglycémie découverte et étudiée par Seale Harris et pour laquelle il a proposé un traitement diététique, de cette hypoglycémie dite «fonctionnelle» et qui affecte une proportion importante de notre société sont d'abord et avant tout les différentes sortes de stress que subit l'homme moderne. L'hypoglycémie est une maladie étroitement associée à un genre de vie, à une manière de s'alimenter particulière à notre époque. Il y a des stress que nous pouvons difficilement éviter, il y en a d'autres que nous pouvons contrôler. Les stress physiques et nutritionnels sont les plus faciles à cerner. Leur élimination permet de fortifier le corps et le rend capable de faire face le plus adéquatement possible aux stress émotifs et chimiques.

Les stress nutritionnels

Ils sont la base même du problème de l'hypoglycémie, la cause déterminante et déclenchante de cette maladie propre à notre civilisation mais qui peut se retrouver également chez les peuples non occidentaux. Un ethnographe californien, Ralph Bolton a fourni à notre monde moderne une autre preuve de la relation étroite qui existe entre la ration alimentaire d'un peuple et la conduite personnelle, familiale et sociale de ses individus. Ralph Bolton a étudié de très près les Qolla, un peuple de paysans qui vit sur les bords du lac Titicaca entre le Pérou et la Bolivie. C'est le peuple considéré comme le plus hostile et le plus agressif au monde. Il connaît un nombre effarant de vols, de meurtres, de viols, d'incendies volontaires et de divorces. Dans un village composé de 1200 personnes, la moitié des chefs de famille étaient directement ou indirectement impliqués dans un homicide. Il est intéressant de remarquer que Ralph Bolton, face à une telle situation, a eu l'idée de tester ce peuple pour l'hypoglycémie. Cet homme de science possédait ce haut degré de suspicion face à l'hypoglycémie, cette conviction logique que ce que nous mangeons influence notre comportement. Les résultats de son étude sont fascinants: 55% des hommes testés souffraient d'une hypoglycémie moyennement grave ou sévère[19].

Le docteur Hoffer déclare que ce peuple est paranoïaque et qu'il souffre d'une maladie mentale due à une nutrition déficiente. En effet, sa ration alimentaire est extrêmement irrégulière, déséquilibrée et carencée. Il se nourrit presque exclusivement d'orge, d'avoine, d'alcool et mâche constamment de la noix de cola. Ralph Bolton est convaincu que c'est ainsi que les Qolla entretiennent leur hyperagressivité[20].

Peut-on s'attendre à des comportements différents dans une société où l'alimentation de base est composée de sucres raffinés (sucre blanc ou cassonade), de sucres concentrés (miel, sirop d'érable, sirop de maïs) de céréales raffinées (dont les éléments vitaux permettant au foie de bien fonctionner ont été ôtés et dont la carence en fibres entraîne une absorption beaucoup trop rapide et donc un apport massif de sucre dans le sang), de protéines animales, de graisses en excès, et de caféine? La caféine, cet alcaloïde si couramment employé dans notre société, est peut-être l'équivalent de la noix de cola des Qolla. Sous l'effet répété de cette drogue l'individu se met à ressentir un épuisement physique et mental caractéristique.

La caféine stimule les surrénales à produire en quantité exagérée les hormones qui favorisent la stabilité du glucose sanguin. Ces hormones, en temps normal, et lorsqu'il y a carence en glucose, entraînent le foie à relâcher le sucre qui y est stocké sous forme de glycogène, afin qu'il se déverse dans le sang sous forme de glucose. On comprend alors qu'une tasse de café «remonte». Le prix de cette excitation passagère est très cher. En présence de sucre soudainement déversé dans le sang, le pancréas, qui ne fait pas la distinction entre le sucre consommé et le sucre provenant du foie sous l'effet de la caféine, se met à fabriquer de l'insuline qui abaisse à nouveau le glucose sanguin. Maintenant le buveur de café tremble. Il se sent angoissé, fatigué. Ses idées sont confuses. Il n'arrive pas à se concentrer. Son cœur bat la chamade. Il a envie de tout casser. Il est sous l'effet d'une méchante drogue. Anxieux, il va vite se faire une autre tasse de café et il y ajoute du sucre. Maintenant les surrénales, le pancréas et le foie sont attaqués de front[21]. Oh! ce n'est pas possible qu'il ait si mauvais caractère...

Tous ces produits raffinés, déséquilibrés et excitants sont dans notre société la cause majeure d'une hypoglycémie dite fonctionnelle et qui s'exprime souvent à peine moins tragiquement que chez les Qolla[22]. Le traitement de base de l'hypoglycémie tend à l'élimination la plus complète de ces stress nutritionnels.

Les stress chimiques

On peut nommer: l'alcool qui semble empêcher le relâchement du sucre stocké dans le foie et affaiblir le mécanisme de l'hypothalamus responsable de demander une élévation du sucre sanguin lorsque celui-ci est trop bas; le tabac fumé ou respiré par personne interposée; les médicaments, nommons ici en particulier la pilule anticonceptionnelle, les œstrogènes, les diurétiques et tous les médicaments contenant de la caféine et/ou du sucre[23]; les agents de conservation, les édulcorants, les substances ramollissantes, alcalinisantes, acidifiantes, les hormones (dans la viande), les colorants, les antioxydants, les substances hydrogénisantes. À l'heure actuelle, l'industrie alimentaire emploie couramment 2500 à 3000 additifs, ce qui signifie en termes concrets, que chaque consommateur nord-américain ingère, en moyenne 2 kilogrammes d'additifs chimiques chaque année[24]. Ces additifs à quelques exceptions près, n'ont aucune valeur nutritive et risquent d'entraîner de très graves troubles. Certains d'entre eux causent des altérations du comportement et contribuent à l'hyperactivité chez les enfants[25].

Certaines personnes, sans le soupçonner, ont une hypersensibilité à l'iode, un additif dans tout sel de table qui se manifeste par des symptômes d'allergies: leur mémoire est troublée; leur tête est confuse; elles ont des accès de dépression; elles se sentent mal de partout[26]. Les allergies peuvent être une cause d'hypoglycémie et vice versa[27]. Les stress chimiques sont cumulatifs et souvent plus dangereux en petites doses répétées qu'en une seule forte dose[28]. Un tel tableau doit nous encourager à rechercher une alimentation saine et chaque fois que possible faite à la maison à partir d'aliments entiers, complets, variés. Dans le domaine alimentaire on est jamais mieux servi que par la nature et soi-même.

Les stress émotifs

Ils comprennent la peur, la haine, l'insécurité, l'hostilité, la jalousie, la solitude et le manque d'amour sur une base prolongée ou répétée. Ils entraînent les surrénales à sécréter de l'adrénaline qui libère le sucre emmagasiné. Lorsque la réserve dans le foie et dans les muscles est épuisée, le taux normal de glucose ne peut être maintenu. Il s'abaisse et c'est l'hypoglycémie. Le manque d'intérêt dans le travail, le manque de but dans la vie, l'absence de défi et de satisfaction personnelle dans une occupation quotidienne, la monotonie, la routine du travail à la chaîne, le vide spirituel qui laisse l'individu sans espérance vivante, produisent chez celui-ci une hypoglycémie dans laquelle le glucose ne s'abaisse pas suffisamment pour donner lieu à des symptômes dramatiques mais il ne s'élève pas suffisamment non plus pour permettre à l'individu la joie de vivre, le sentiment vibrant d'être et non pas seulement d'exister. Son cerveau subit une demi-famine chronique et il est constamment affamé en glucose. Une telle personne pour employer un terme du début du siècle, est «neurasthénique», blasée pour employer un terme récent, et elle présente une révulsion, un dégoût profond pour la routine quotidienne quelle qu'elle soit. L'absence de piquant dans sa vie l'entraîne à la fatigue chronique et au désir de tout lâcher. Une telle hypoglycémie se greffe, bien sûr, sur de mauvaises habitudes alimentaires et très souvent sur l'habitude de fumer, mais elle se déclenche sous l'effet de conditions de vie précises. Le marché du travail moderne caractérisé par la fragmentation, la spécialisation et la répétition monotone et à l'infini des mêmes gestes ainsi que la vie familiale et sociale moderne caractérisée par un horizon très souvent exclusivement matérialiste (tout tourne autour de ce qu'on a, qu'on n'a pas, qu'on n'a plus et de ce que les autres ont, n'ont plus ou vont avoir) sont une cause certaine de cette hypoglycémie dite en termes médicaux, à courbe «plate», cette hypoglycémie du désespoir tranquille.

L'individu affecté de ce désordre doit, tout en changeant ses habitudes alimentaires, retrouver un sens profond à la vie et une activité stimulante et vraiment utile. C'est l'équilibre entre les fonctions de l'insuline du pancréas qui abaisse le sucre sanguin et les fonctions des hormones surrénales qui l'élèvent qui maintient un taux normal de glucose dans le sang. En période d'activité normale physique et mentale, ce sont les émotions positives, intérêt, enthousiasme, piquant, goût de travailler, joie, qui stimulent la sécrétion des hormones surrénales. En période d'urgence, ce sont la peur ou la colère qui le font. Lorsque ces émotions sont absentes et que le travail est quand même fait, il en résulte une fatigue accablante qui devient une excuse pour avoir encore plus de répulsion pour son activité. Un cercle vicieux se forme, celui de l'hypoglycémie, celui d'une carence partielle chronique en glucose[29]. Il est beaucoup plus dur pour la santé de faire un travail facile qui ne lance à notre esprit aucun défi que de faire un travail ardu dans lequel on met tout son cœur. Une classe de gens particulièrement vulnérables à cette hypoglycémie est celle des jeunes exécutifs ou des hommes d'affaires qui soudain perdent l'enthousiasme, l'entrain, l'élan pour leur travail et sont envahis par l'ennui et l'antipathie pour leurs associés, leur patron et leur métier. L'ambition dévorante qui était le résultat de la peur de ne pas être à la hauteur de la situation plutôt que de la joie et de l'amour dans le travail, a fait place à une anxiété profonde, au sentiment déprimant d'être inadéquat. Bientôt ces hommes manifestent des troubles gastro-intestinaux (ulcères), cardio-vasculaires, respiratoires et neuro-musculaires. S'ils semblent encore sauver la face au bureau, ils manifestent au sein de leur famille une hostilité dangereuse envers leur femme et leurs enfants. Ils ont perdu la capacité de jouir de la vie. Ils ont tout pour être heureux, comme dit le dicton, et ils sont si malheureux! Lorsque le taux de glucose circulant dans le sang est inadéquat, le cerveau ne fonctionne plus correctement. La personne est tendue, elle se fatigue facilement et elle n'est plus capable de maintenir sa compétence. Elle a soudain perdu le goût de vivre. Ni ombre, ni réalité, elle ne trouve plus de sens à son existence.

La femme rivée aux exigences d'une féminité culturelle et qui, sans avoir joui consciemment de sa sexualité biologique dans toutes ses dimensions, est malgré tout cantonnée à la maison dans une routine médiocre, est également très vulnérable à cette hypoglycémie du désespoir tranquille. Elle rêve avec nostalgie au marché du travail et celui-ci peut réellement, pour un temps, lui offrir ce piquant dont sa vie est tragiquement privée. Cependant là encore, ce sentiment étouffant de ne pas être indispensable, de ne pas être unique, la guette assez rapidement et bientôt le même ennui la ronge à nouveau. La femme moderne, pour être heureuse a absolument besoin de connaître sa destinée biologique, de l'accepter et de découvrir à son école, des défis qui sont à la grandeur même de la vie[30]...

Les stress physiques

Ils sont rarement pris en considération mais l'intempérance dans le travail, le surmenage, le manque de repos, le manque d'exercice sont de réels stress d'autant plus graves que leurs effets sont cumulatifs et qu'ils s'effacent difficilement. Le bruit est un stress physique intense, et dans la majorité des villes, constant. Les maladies et les blessures fatiguent le corps. L'hyperventilation pulmonaire, au cours des exercices respiratoires du yoga, des poids et altères, du travail de l'accouchement et du chant prolongé peut également entraîner des symptômes d'hypoglycémie[31].

En général, contrairement à d'autres maladies du passé, l'hypoglycémie n'est pas une maladie qui fait mourir. Elle empêche seulement de vivre. Mais elle peut être fatale lorsqu'elle accompagne le diabète — on parle alors d'hypoglycémie réactionnelle ou de dysinsulinisme — et qu'elle est traitée avec de l'insuline comme le diabète; ou encore lorsqu'une personne considérée psychotique alors qu'elle est hypoglycémique, reçoit un traitement psychiatrique appelé coma insulinique (méthode de Sakel) qui consiste à provoquer un coma contrôlé par une injection d'insuline qui a pour effet de détruire le glucose sanguin et donc d'arrêter toutes les fonctions vitales. On met fin au coma par une injection de sucre. Ce traitement est appelé en psychiatrie un traitement de choc qui altère d'une façon temporaire ou définitive le cerveau dans le but de calmer l'irritabilité du système nerveux. Il est intéressant de citer dans ce contexte un extrait d'une encyclopédie médicale moderne (1974): «Tous les psychiatres *savent* (italique dans le texte) qu'aucun des moyens mis à leur disposition ne peut guérir un psychosé, du moins d'une manière générale. Tout au plus sont-ils capables de retarder une évolution, d'atténuer certains symptômes (aux dépens, parfois de la personnalité du sujet), d'éviter certains accidents[32].»

L'hypoglycémie peut aussi entraîner une destruction irréversible des cellules cérébrales lorsqu'un individu souffrant de ce désordre est à tort pris pour un alcoolique et laissé à lui-même au lieu de recevoir un traitement d'urgence.

À la fin de ce chapitre, le souffle vous manque. Vous avez de la difficulté à croire que l'hypoglycémie, que l'abaissement du taux du glucose sanguin, soit la cause de tant de troubles, de désordres, de déchéances, de misères, d'infirmités...

Voilà maintenant près de soixante ans que la littérature médicale a exposé, décrit et donné les moyens de corriger cet état. Peut-il rester encore longtemps pour la majorité, un mystère, un fait ignoré ou inconnu? Non, il y a de l'espoir. Mieux encore, les solutions sont connues et elles sont si simples qu'elles sont à la portée de tous. Le docteur John W. Tintera, un endocrinologue spécialisé dans le dépistage et le traitement de l'hypoglycémie disait, il y a une dizaine d'années et son conseil avec le temps devient de plus en plus actuel et juste: « Il est tout à fait possible d'améliorer votre tempérament, d'augmenter votre rendement et de changer votre personnalité pour le mieux. La façon de le faire est d'éviter le sucre de canne et le sucre de betterave sous toutes ses formes et sous tous ses déguisements[33]. »

Oui, il est aujourd'hui tout à fait possible d'éviter la douloureuse mésaventure du docteur Stephen Gyland et de millions d'hommes et de femmes misérables comme lui. C'est la raison unique pour laquelle ce livre est écrit.

---

1. Wertz R. et D., *Lying-In, A History of Childbirth in America,* The Free Press, 1977 p. 109-131.
2. Hurdle J.F., *Low Blood Sugar: A Doctor's Guide To Its Effective Control.*
3. Hoffer A., *Orthomolecular Nutrition,* p. 20.
4. Nittler A., *Hypoglycemia and The New Breed of Patient,* Journal: International Academy of Metabology Inc. Vol. V, n° 1.
5. Hawkins Pauling, *Orthomolecular Psychiatry,* p. 454.
6. Hoffer A., *Orthomolecular Nutrition, p. 20.*
7. Brennan R.O., *Nutrigenetics,* p. 98.
8. Hawkins Pauling, *Orthomolecular Psychiatry,* p. 461.
9. Harris Seale, *Hyperinsulinism and Dysinsulinism,* J.A.M.A., 83: 289-733, 1924.
10. Lettre personnelle du docteur Stephen Gyland au J.A.M.A., vol. 152, 18 juillet 1953.
11. Cheraskin et Ringsdorf, *Psychodietetics,* p. 72.
12. Du Ruisseau J.P., *La mort lente par le sucre,* p. 37 à 53.
13. Krause et Hunscher, *Nutrition et diétothérapie,* p. 39-40.
14. Cheraskin E., Ringsdorf W.M., *Psychodietetics*, p. 72-73.
15. Ibid., p. 73.
16. Nittler A., *A New Breed of Doctor,* p. 62.
17. Thrash Agatha, *Hypoglycemia,* Yuchi Pines Recordings, Yuchi Pines Institute, Seale, Alabama.
18. Pfeiffer Carl C., *Zinc and Other Micro-Nutrients,* p. 66-73.
19. Pfeiffer, *Mental and Elemental Nutrients,* p. 380, 381.
20. Hoffer, *Orthomolecular Nutrition,* p. 49-50.
21. *The Truth About Caffeine,* Narcotics Education, Inc. P.O. Box 4390, Washington D.C. 20012.
22. Pfeiffer, *Mental and Elemental Nutrients,* p. 381.
23. Pfeiffer, *Mental and Elemental Nutrients,* p. 388.
24. Pfeiffer Carl C., *Mental and Elemental Nutrients,* p. 35.
25. Feingold Ben, *Why Your Child is Hyperactive,* Random House, 1974.
26. Messenger David L., *Dr Messenger's Guide to Better Health,* p. 78.
27. Abrahamson E.M. et Pezet A.W., *Body, Mind and Sugar,* p. 71-88.
28. Pfeiffer Carl C., *Mental and Elemental Nutrients,* p. 35 à 43.
29. Portis Sydney A., *Life Situations, Emotions and Hyperinsulinism,* J.A.M.A. 142: 1281-1286, 1950.
30. Starenkyj Danièle, *Les cinq dimensions de la sexualité féminine,* Publications Orion, Québec, 1980.
31. B.H.C., *Low Blood Sugar,* Karpat Publishing Co. Inc, 1971, p. 13.
32. Universelle Bordas, Médecine II 52.
33. Tintera John W., *Hypoadrenocorticism,* Mt. Vernon, New York: Adrenal Metabolic Society of the Hypoglycemia Foundation Inc. 1969.

3

Êtes-vous hypoglycémique?

Vous n'avez peut-être*, jusqu'à ce jour, jamais entendu parler d'un tel désordre. Vous êtes surpris, sceptique, incrédule. Il vous semble que si tout cela était vrai vous en auriez entendu parler. Prenez la peine de lire ce chapitre et posez-vous cette question: Êtes-vous hypoglycémique? La réponse peut bouleverser votre vie et y mettre cette chaleur et cette lumière que vous cherchez désespérément depuis si longtemps.

Répétons-le, l'hypoglycémie, ses causes, ses symptômes, le moyen de la dépister par le test d'hyperglycémie provoquée et son traitement par un régime excluant tout sucre et tout hydrate de carbone raffiné, est connue depuis 1924.

Les encyclopédies médicales ont des articles sur cette maladie. Par exemple, la *Oxford Looseleaf Medecine* déclare: «Tous les médecins devraient garder à l'esprit que l'hypoglycémie est une maladie en elle-même.

---

* Ce chapitre est écrit, non pour vous permettre de vous passer des soins éclairés d'un médecin, mais pour vous encourager à rechercher l'aide compétente dont vous avez besoin.

Les attaques peuvent suggérer une maladie du cerveau, un accident vasculaire (une attaque de coeur), l'épilepsie, un alcoolisme aigu ou quelque désordre fonctionnel tel que l'amnésie ou l'hystérie. C'est la raison pour laquelle les patients qui souffrent d'hypoglycémie sont souvent référés à des cliniques neurologiques ou psychiatriques[1]. »

Une encyclopédie française[2] affirme: « L'hypoglycémie, très fréquente se traduit par des troubles multiples, habituellement d'ordre neuro-psychiatrique qui peuvent être trompeurs (céphalées, diplopie, troubles psychiques d'apparition brutale). Lorsque l'hypoglycémie est intense elle peut entraîner un coma qui peut être profond et conduire à la mort (...) L'hypoglycémie n'est pas rare chez des sujets neurotoniques », c'est-à-dire qu'ils ont une émotivité exagérée qui se manifeste par des anomalies du rythme cardiaque, des troubles digestifs vagues, des sueurs, des malaises divers.

Un psychiatre de la *University of Cincinnati College of Medecine* en Ohio, aux États-Unis, le docteur Harry Salzer, après dix ans de recherches sur l'hypoglycémie a confirmé ces déclarations en affirmant: « Je crois que l'hypoglycémie est une des causes les plus courantes des maladies neuropsychiatriques et qu'elle est causée par des changements dans les habitudes alimentaires de l'homme[3]. »

Ces citations sont intéressantes. Elles démontrent que la médecine reconnaît l'existence de l'hypoglycémie. Elle en connaît les symptômes. Elle sait qu'ils peuvent être variés, trompeurs et qu'ils sont avant tout d'ordre mental et nerveux. Plus, elle en définit la cause et elle pointe les habitudes alimentaires de l'homme moderne.

Le docteur Stephen Gyland dont nous avons parlé au chapitre précédent, alors qu'il avait contrôlé son hypoglycémie et qu'il était à nouveau capable de pratiquer la médecine, fit un relevé des habitudes alimentaires de plus de six cents patients chez lesquels il avait diagnostiqué l'hypoglycémie. Il est très révélateur de constater que 40% d'entre eux avaient une faim insatiable et excessive; 17% mangeaient irrégulièrement; 15% ne déjeunaient pas; 27% ne prenaient le matin que du café et des « toasts »;

86% avaient le désir incontrôlable de sucreries et de féculents (pain blanc, pâtes alimentaires, pizza, etc...); 84% prenaient de 2 à 20 tasses de café chaque jour; 71% prenaient de 2 à 8 tasses de thé par jour; 66% buvaient de 1 à 10 bouteilles de cola par jour; 36% buvaient des boissons gazeuses; 31% prenaient de la bière quotidiennement; 17% buvaient du vin quotidiennement; 28% prenaient du whisky chaque jour; 30% avaient tendance à prendre du poids[4].

Ces six cents personnes ressentaient une foule de symptômes qui les avaient amenées à consulter de nombreux médecins, sans toutefois recevoir de soulagement. Le docteur Gyland a pris la peine de faire une liste[5] de ces symptômes et de déterminer le pourcentage de ses patients qui en souffraient. Cette liste a été reprise par de nombreux auteurs tels que Fredericks, Cheraskin, Du Ruisseau, Airola, Ross et elle se retrouve dans leurs livres.

La voici:

Nervosité	**94%**
Irritabilité	**89%**
Épuisement	**87%**
Évanouissement, tremblements, sueurs froides, périodes de faiblesse, fatigue	**86%**
Dépression	**77%**
Étourdissements, vertiges	**73%**
Somnolence	**72%**
Maux de tête	**71%**
Troubles digestifs	**69%**
Manque de mémoire	**67%**
Insomnie (réveil dans la nuit et incapacité de se rendormir)	**62%**
Soucis constants, anxiété sans cause	**62%**
Confusion mentale	**57%**
Tremblement intérieur	**57%**
Palpitations du cœur, pouls rapide	**54%**
Douleurs musculaires	**53%**
Engourdissement	**51%**

Comportement insociable (farouche, sauvage), anti-social (contre la société), antisociable (sans manières)	**47%**
Caractère indécis	**50%**
Crises de larmes	**46%**
Manque de libido (femmes)	**44%**
Allergies	**43%**
Manque de coordination	**43%**
Crampes dans les jambes	**43%**
Manque de concentration	**42%**
Vision embrouillée	**40%**
Crispation et mouvements saccadés des muscles	**40%**
Sensations de picotements et de fourmillements sur la peau	**39%**
Suffocation (recherche de son souffle)	**37%**
Crises d'étouffement	**34%**
Titubation	**34%**
Soupirs et baillements	**30%**
Impuissance (hommes)	**29%**
Inconscience	**27%**
Terreurs nocturnes, cauchemars	**27%**
Arthrite rhumatoïde	**24%**
Phobies, peurs	**23%**
Neurodermatose	**20%**
Intentions suicidaires	**20%**
Dépression nerveuse	**17%**
Convulsions	**2%**

Ces patients du docteur Gyland ont également déclaré souffrir de changements de personnalité qui les amenaient à faire des écarts inaccoutumés dans leur conduite morale, à négliger leur apparence physique et à avoir tendance à user d'alcool ou de drogues.

La révélation la plus saisissante cependant d'une étude du docteur Gyland, étude que les médecins Salzer, Cheraskin, Weller, Martin et autres ont reprise et confirmée, est la liste qui indique les diagnostics que ces pauvres personnes avaient reçus au cours de leurs pérégrinations d'un bureau de médecin à un autre, sans jamais recevoir le test simple de l'hyperglycémie provoquée, test qui aurait immédiatement révélé l'hypoglycémie dont elles souffraient. Voici, en partie, cette liste[6]:

Arriération mentale

Névrose

«Nervosité légère»

Urticaire chronique

Maladie de la peau d'origine nerveuse

Syndrome de Menière (perte de l'ouïe, étourdissements qui l'accompagnent et bruits dans les oreilles)

Artériosclérose cérébrale

Migraines, céphalées (mal de tête ou d'un côté de la tête seulement)

Schizophrénie

Asthme bronchique chronique

Arthrite rhumatoïde

Syndrome de Parkinson

Battements rapides du cœur

«Maladie imaginaire»

Ménopause

Alcoolisme

Diabète

Psychose du post-partum

Sénilité

Tumeur cérébrale

Épilepsie

Quelques-unes d'entre elles avaient reçu un diagnostic correct d'hyperinsulinisme (production excessive d'insuline entraînant un abaissement du glucose sanguin) mais le traitement suggéré ne pouvait qu'empirer la situation: on leur avait recommandé de manger des bonbons[7]!

Au cœur d'un problème si grave, si généralisé et si ignoré, il est impérieux que chaque personne puisse éveiller en elle le soupçon de cette maladie et qu'elle ait ce haut degré de méfiance à son égard qui lui permettra de chercher et de trouver l'aide compétente dont elle pourrait avoir besoin.

Le praticien expérimenté suspecte immédiatement l'hypoglycémie en présence de trois symptômes[8]: *l'anxiété,* cette anxiété flottante, floue, ce sentiment inexplicable et sans cause d'une catastrophe imminente qui se greffe logiquement ou non sur n'importe quel événement; *le besoin incontrôlable et constant de manger,* souvent même la nuit; *un changement périodique, cyclique ou soudain de personnalité,* (sauts d'humeur, hauts et bas inexplicables, désordres de la conduite, violence, haine, antipathie profonde qui surgissent sans qu'on puisse l'expliquer chez une personne reconnue pour sa moralité, sa douceur, sa bonté, sa sympathie.)

Il peut également suspecter l'hypoglycémie chez vous, s'il sait qu'un de vos parents souffre de diabète; que vous suivez un régime amaigrissant très restrictif; que vous prenez sur une base régulière des médicaments comme l'aspirine, des barbituriques ou encore la pilule anticonceptionnelle[9]; que vous avez un ulcère peptique ou qu'une partie de votre estomac a été enlevée chirurgicalement.

De nombreuses personnes sont amenées à suspecter l'hypoglycémie après avoir lu une description des symptômes de cette maladie et s'y être reconnues. Le docteur Cheraskin leur conseille alors de faire face à cette possibilité et de chercher à la vérifier le plus tôt possible[10]. Pour cela il offre à ses patients et lecteurs un questionnaire qu'ils peuvent remplir eux-mêmes pour les aider à faire une prise de conscience personnelle. Développé par le docteur John F. Bumpus, un médecin-chirurgien de Denver, modifié, élargi par les docteurs Cheraskin, Brennan et tout particulièrement Nittler[11], ce questionnaire est employé par de nombreux praticiens pour s'assurer s'il y a lieu ou non, de faire passer un test d'hyperglycémie provoquée de cinq à six heures. Jean-Paul Du Ruisseau rapporte que lors d'une étude sur 1400 obèses « les médecins procédaient à l'examen clinique et *surtout* (c'est nous qui soulignons) utilisaient un questionnaire permettant par divers recoupements de tracer la courbe *clinique* (italique dans le texte) du diabétogénique (terme employé par Du Ruisseau pour désigner l'hypoglycémie) sans prise de sang, ni urine à ce moment-là[12]». En effet, ce questionnaire liste les principaux symptômes les plus courants de l'hypoglycémie.

Voici comment se présente ce questionnaire. Si vous désirez le remplir, vous pouvez indiquer le degré de gravité ou la fréquence de vos symptômes en utilisant le chiffre 1 pour des symptômes légers ou peu fréquents, 2 pour des symptômes modérés ou occasionnels, 3 pour des symptômes sévères et réguliers. À la fin du questionnaire, additionnez les réponses. Le Dr Bumpus, pour avoir observé des milliers de tests, déclare que tout total au-delà de 25 devrait vous amener à rechercher un traitement adéquat de l'hypoglycémie, surtout si vous répondez positivement et fortement à trois des questions suivantes: no 16, 17, 24, 26, 27, 29, 43 ou 44.

1 _____ J'ai un besoin anormal de sucré
2 _____ J'ai des maux de tête l'après-midi
3 _____ Je consomme de l'alcool
4 _____ J'ai des allergies, une tendance à faire de l'asthme, à avoir la fièvre des foins, à faire des éruptions cutanées
5 _____ Je me réveille après quelques heures de sommeil
6 _____ Je me rend compte que je respire péniblement
7 _____ Je fais de mauvais rêves
8 _____ J'ai les gencives qui saignent
9 _____ J'ai la vue embrouillée
10 _____ J'ai des taches brunes et/ou des plaques brunes sur la peau.
11 _____ J'ai des bleus facilement
12 _____ J'ai des papillons dans l'estomac, des crampes
13 _____ Je n'arrive pas à me décider facilement

14 _____ Je n'arrive pas à commencer ma journée si je n'ai pas une tasse de café
15 _____ Je n'arrive pas à travailler sous pression
16 _____ Je suis constamment fatigué
17 _____ Je suis constamment épuisé
18 _____ J'ai des convulsions
19 _____ J'ai des rages de bonbons ou de café dans l'après-midi
20 _____ Je pleure facilement sans raison
21 _____ Je suis déprimé
22 _____ J'ai des étourdissements
23 _____ Je bois _____ tasse(s) de café par jour
24 _____ Je dois manger souvent sinon j'ai des crampes d'estomac ou des faiblesses
25 _____ Quand je suis nerveux, je mange
26 _____ Si le repas est retardé, je ressens des faiblesses
27 _____ Quand je mange ma fatigue semble se dissiper
28 _____ Je suis craintif
29 _____ Lorsque j'ai faim je me mets à trembler
30 _____ J'ai des hallucinations
31 _____ Mes mains tremblent
32 _____ Mon cœur se met à battre vite si je saute un repas ou si je ne mange pas à temps
33 _____ Je suis très émotif
34 _____ J'ai faim entre les repas
35 _____ Je fais de l'insomnie
36 _____ Je tremble à l'intérieur de moi-même
37 _____ Je suis irritable avant les repas
38 _____ Je manque d'énergie
39 _____ Je grossis des événements insignifiants
40 _____ J'ai les bleus, je suis mélancolique, je vois tout en noir
41 _____ J'ai une mauvaise mémoire
42 _____ J'ai de la difficulté à avoir de l'initiative
43 _____ Je suis somnolent après les repas

44 _____ Je m'endors pendant la journée
45 _____ Je me sens faible, sans force
46 _____ Je suis inquiet, je suis anxieux, je me fais du souci constamment

D'autres médecins, le docteur Nittler en particulier, ont élargi ce test pour y inclure les symptômes les plus variés de l'hypoglycémie et permettre ainsi à l'individu de prendre conscience de son état. Voici comment la liste pourrait encore s'allonger:

_____ J'ai des blancs de mémoire
_____ Je suis facilement mêlé
_____ Je n'arrive pas à donner mon plein potentiel
_____ Je m'emporte facilement
_____ Je suis timide
_____ J'ai des désirs sexuels excessifs[13]
_____ J'ai une conduite sexuelle déviée[14]
_____ Je suis impuissant/frigide
_____ Je néglige mon apparence et ma propreté personnelles
_____ J'ai de la difficulté à garder mes emplois
_____ Je n'arrive pas à m'entendre avec les autres
_____ Je perds l'intérêt dans mon travail
_____ J'ai des sueurs froides pendant la nuit
_____ Je n'ai aucune force musculaire quand je me réveille
_____ J'ai tour à tour de la constipation et de la diarrhée
_____ J'ai des gaz et des ballonnements
_____ Je souffre d'indigestion chronique
_____ Je suis souvent gonflé
_____ J'ai un désir ardent du salé*
_____ J'ai le nez bouché

* Un goût et un usage abusif du sel sont des symptômes d'une défaillance des surrénales. Cet état entraîne une excrétion anormale de sel et incite ainsi à une consommation excessive de sel. Cet état de chose est un prélude à l'hypoglycémie, l'excès de sel entraînant une perte excessive en potassium, ainsi qu'aux allergies[15].

_____ Je ne supporte pas le bruit — la sonnerie du téléphone, les portes qui claquent etc...
_____ Le monde me fatigue
_____ J'étouffe dans les endroits fermés
_____ De temps en temps, je ressens une douleur à travers l'épaule gauche dans la direction de la clavicule ou à l'arrière du cou
_____ J'ai des bouffées de chaleur
_____ Ma bouche est très sèche
_____ Mes mains et mes pieds sont froids
_____ Je sue terriblement
_____ Ma peau est sèche et fait des écailles
_____ Ça me brûle quand j'urine
_____ J'urine fréquemment
_____ Mes membres s'engourdissent
_____ J'ai des picotements autour des lèvres et/ou au bout des doigts
_____ J'ai le sentiment d'avoir des milliers de piqûres ou de fourmis sur tout le corps
_____ J'ai des démangeaisons des organes génitaux et/ou de l'anus
_____ J'ai le sentiment que je vais devenir fou
_____ Je suis très tendu
_____ J'ai des tendances suicidaires
_____ Je deviens facilement violent
_____ J'ai envie de faire du tort aux autres
_____ J'en veux à la société
_____ J'ai des étourdissements et je tombe en syncope en particulier quand je me lève rapidement
_____ J'ai le vertige, je titube ou je tourne en rond, en particulier le matin ou avant les repas
_____ Je ne bois pas beaucoup d'eau
_____ J'attrape facilement le rhume
_____ Je raffole du chocolat
_____ Je suis un fumeur à la chaîne
_____ Je perds par moment complètement l'appétit

Dans le cadre de ce questionnaire, il est important que la personne tienne un journal de tout ce qu'elle mange dans une journée, dans les plus petits détails et qu'elle indique quand ses symptômes se présentent: avant le petit déjeuner, quelques heures après avoir mangé, après un exercice physique ou un travail épuisant, après une contrariété ou un bouleversement émotif. Il faut aussi indiquer ce que la personne a mangé ou fait avant qu'ils se manifestent; ce qu'elle a fait ou mangé pour qu'ils disparaissent et qu'elle indique la rapidité du changement et sa durée. L'hypoglycémique se sent toujours plus mal avant de manger, mieux immédiatement après et à nouveau mal une ou deux heures après avoir mangé. La consommation d'alcool, de café ou de sucre sous une forme ou une autre (colas, biscuits, bonbons) semble toujours le soulager momentanément.

Il est important de s'adresser maintenant en particulier aux femmes car celles-ci peuvent ressentir des symptômes d'hypoglycémie particuliers qui s'expriment par des troubles menstruels (menstruations douloureuses, irrégulières, supprimées) puis au cours de la grossesse, de l'accouchement, du post-partum[17] et de la lactation[18]. Leurs bébés peuvent nécessiter aussi des soins précis qui pourront leur éviter l'angoisse de cette maladie[19].

La grossesse, qui présente un stress important pour le corps et qui exige que la femme ait une nutrition supérieure pour éviter les carences nutritionnelles, est souvent un facteur qui déclenche l'hypoglycémie[20]. La femme enceinte peut alors souffrir des symptômes connus de cette maladie tels que: articulations douloureuses, tiraillements dans le bas-ventre et maux de dos parfois violents. Les muscles peuvent se contracter nerveusement et produire des crampes. La mère hypoglycémique peut avoir à l'occasion des convulsions et souffrir d'un épuisement ou d'une fatigue qui peuvent l'amener à faire des fausses couches ou à mettre au monde des enfants prématurés[21].

On peut s'inquiéter au cours de l'accouchement, de l'administration de glucose intraveineux[22] et de médicaments obstétricaux[23] (calmants, analgésiques, anesthésiques) et soupçonner qu'ils sont capables de précipiter, et dans certains cas, de déclencher une crise aiguë d'hypoglycémie qui se manifestera pendant le travail par de l'irritabilité, des tremblements, des frissons, de l'angoisse, la perte de conscience ou encore une fatigue intense et une faiblesse musculaire excessive qui rendent la femme incapable d'accoucher spontanément. Les docteurs Gyland, Salzer et Herman Goodman ont traité de nombreux cas d'hypoglycémie qui s'étaient déclarés après un accouchement et qui avaient été étiquetés comme une dépression ou une psychose du post-partum. Les manifestations d'une telle hypoglycémie peuvent aller jusqu'au refus de la mère de reconnaître son enfant et de s'en occuper[24]. Elle souffre intensément et démontre de la sensibilité au bruit, de l'épuisement, des battements rapides du cœur, des crises de larmes, des colères, de l'anxiété, de l'irritation, des hallucinations... Traitées pour l'hypoglycémie par le régime de l'hypoglycémique et un concentré des vitamines du complexe-B (levure, extrait de foie)[25], ces femmes retrouvent rapidement leur véritable personnalité. On peut aussi soupçonner que le jeûne prolongé d'un travail difficile et la perte excessive en potassium causée par le stress physique et moral intense de l'accouchement peuvent être des facteurs dans le déclenchement de l'hypoglycémie du post-partum.

Les bébés nés de mères hypoglycémiques peuvent eux aussi manifester des symptômes et cela d'autant plus, s'ils sont prématurés. Ces symptômes peuvent survenir au cours des trois premiers jours et être: des tremblements, de la difficulté à respirer, une peau bleuâtre ou grise, des convulsions, le coma, la léthargie, l'irritabilité, le refus de téter, des mouvements saccadés des bras et des jambes[26]. D'une façon générale, et selon le plan de la nature, il est excessivement important que tout bébé tète immédiatement et fréquemment sa mère dès sa naissance, et qu'il le fasse à volonté pendant les neuf premiers mois. L'obéissance aux lois de la nature dans ce domaine éviterait bien des troubles à la mère (engorgement, seins douloureux, détachement affectif de l'enfant) et à l'enfant (faim, angoisse, hypoglycémie qui se manifestera, selon le Dr Donsbach au bout de quelques semaines, par des coliques, de l'érythème fessier, des troubles respiratoires et l'intolérance au lait animal[27]). L'eau glucosée si souvent donnée aux bébés en pouponnière est un pauvre substitut du colostrum maternel.

Cette pratique en lieu et place d'un allaitement maternel immédiat, spontané, libre et prolongé est la première agression que le métabolisme de l'enfant reçoit[28]. Le glucose synthétique* par sa concentration et sa rapidité d'absorption, entraîne le dérèglement du mécanisme du contrôle du sucre et lorsque la mère n'allaite pas mais donne une formule «maternisée» à base de saccharose (et non de lactose, le sucre du lait maternel) et très rapidement des petits pots contenant eux aussi du saccharose (sucre blanc) et des amidons raffinés (fécule de maïs, tapioca), l'enfant peut être programmé à une vie de détresse, à une vie d'hypoglycémique.

Êtes-vous hypoglycémique? Venez-vous de répondre à cette question? Il faut maintenant en poser une autre: Sont-ils hypoglycémiques? Oui, eux, les alcooliques, les obèses, les délinquants... Prenez la peine de lire les réponses que de nombreux médecins ont donné à cette question et de changer, je l'espère, votre mentalité à leur égard. Vous apprendrez alors à les aider réellement.

Les alcooliques

«Selon mon expérience, presque chaque alcoolique est hypoglycémique[30].» C'est le docteur Abram Hoffer, un pionnier de la psychiatrie orthomoléculaire, un vétéran de la mégavitaminothérapie B3 dans le traitement de la

* Le glucose s'obtient à partir de la fécule de maïs. Sous l'effet combiné des acides sulfurique et hydrochlorique, l'amidon est converti dans un hydrate de carbone soluble qui se dissout rapidement dans les solides ou les liquides. Ces acides très forts détruisent toute la valeur nutritive contenue dans la fécule de maïs. Le produit final, le glucose, s'appelle aussi dextrose ou sirop de maïs. La présence de glucose dans un produit quelconque n'a pas besoin d'être obligatoirement déclarée sur l'étiquette. Souvent les fruits séchés sont saturés de glucose pour augmenter leur poids. Le docteur Wiley déclare à ce sujet: «La combustion du sucre du sang est activée par le pancréas. Si nous noyons nos estomacs avec du dextrose (glucose) nous aurons alors besoin d'une demi-douzaine de pancréas artificiels pour s'en occuper et voici, comme vous le dira tout sage physiologiste, le véritable danger, le danger menaçant de ce sucre. Comme nous n'avons encore à l'heure actuelle qu'un seul pancréas, de telles insultes ne font que précipiter son déréglement, son épuisement, son vieillissement.» Des expériences ont démontré les effets destructeurs du glucose sur les tissus du pancréas[29].

schizophrénie qui fait cette déclaration. Le docteur Robert Atkins[31] le soutient: «L'expérience nous démontre que lorsqu'un alcoolique réussit à cesser de boire, il se met à manger des sucreries. Cela se comprend parce que presque tous les alcooliques sont hypoglycémiques et le sucre leur donne la même exaltation temporaire que leur donnait l'alcool.» Oui, cette maladie, l'alcoolisme, longtemps considérée comme un vice de l'âme, est la conséquence de mauvaises habitudes alimentaires qui entraînent un épuisement des glandes surrénales et un abaissement du glucose sanguin. L'alcoolisme est un vice de l'appétit qui crée une famine cellulaire que certains individus vont satisfaire avec de l'alcool lorsqu'ils découvrent que ce produit a sur eux le même effet que le sucre, c'est-à-dire qu'il entraîne la disparition ou l'amélioration temporaire de leurs comportements désagréables: angoisse, anxiété, timidité, fatigue, confusion d'esprit, etc... Bientôt le cercle vicieux les serre comme un étau car l'alcool ne les soulage que temporairement et il remplace de plus en plus une nourriture saine qui pourrait les aider à surmonter leur hypoglycémie. Ils se voient rapidement obligés de boire continuellement ou la plupart du temps pour se sentir dégagés de leurs troubles. C'est le phénomène de la personne jamais vraiment ivre mais constamment sous l'effet de doses répétées d'alcool, du buveur social pour qui tout est prétexte pour boire. D'autres alcooliques surprennent leur entourage. Ils peuvent, semble-t-il, rester sobres pendant de longues périodes puis tout à coup se mettre à boire sans pouvoir s'arrêter. Ces alcooliques, l'œil exercé le détectera, oscillent tout simplement entre des crises de sucreries et des crises d'alcool, l'une suivant l'autre alternativement. On raconte l'histoire de buveurs invétérés réussissant à rester «sobres» en consommant jusqu'à deux kilos de chocolat en vingt quatre heures[32]. Le café, les friandises, les gâteaux, les cigarettes à la chaîne qui forment le décor courant de l'alcoolique qui veut se sevrer ou que l'on veut sevrer rendent malheureusement l'abstinence difficile et sont de très mauvais substituts de l'alcool. Une crise de sucreries peut parfaitement reproduire les symptômes de «la gueule de bois» qui sont en fait des symptômes d'hypoglycémie.

Il faut aussi être alerté au fait que l'hypoglycémie peut entraîner une réaction excessive à des petites doses d'alcool avec tous les symptômes de l'ivresse: la température est basse, la personne transpire, le pouls est rapide, l'haleine cependant ne sent pas l'alcool. L'individu ne doit pas s'endormir dans cet état. Il est urgent de lui donner de l'aide. On peut lui offrir un verre de jus d'orange. Si la personne ne revient pas à elle-même ou commence à perdre conscience, il faut immédiatement appeler un médecin qui administrera du glucose intraveineux[33].

Lorsque l'on envisage l'hypoglycémie, on comprend que les promesses, les défis, les gageures, les psychothérapies et les désintoxications resteront sans effet durable. Cependant, il est merveilleux de constater combien un changement des habitudes alimentaires[34] étanche rapidement la soif de l'alcool et permet une abstinence sans tension ni substitution abusive et nocive de sucreries. C'est une loi de la logique: lorsque la cause d'un problème est enlevée, il n'est plus nécessaire de s'occuper des effets car ils disparaissent d'eux-mêmes. Le docteur Roger Williams l'a si bien démontré: si vous voulez régler le problème d'un alcoolique ne vous attaquez pas à son verre mais à son assiette. Les résultats ne se feront pas attendre[35].

Les obèses

Selon une recherche médicale neuf obèses sur dix sont hypoglycémiques. Leurs symptômes, un désir constant et insatiable de nourriture et un goût incontrôlable du sucré, reflètent leur condition. L'abaissement du glucose sanguin se manifeste chez eux par une faim dévorante de choses sucrées. Greffés sur une vie sédentaire qui est souvent la conséquence de leur manque d'énergie chronique, ces troubles sont suffisants pour entraîner l'obésité. Le régime rationnel de l'hypoglycémique, en permettant l'effacement des symptômes, peut véritablement, dans le cadre d'un programme régulier d'exercices, régler ce problème physique, psychologique et social grave[37].

Les délinquants juvéniles[38]

Nous vous l'avons fait comprendre, des bébés peuvent être hypoglycémiques. Ces bébés grandissent et deviennent des enfants, des adolescents. Si leur état n'a pas été corrigé, il n'a fait que s'empirer. Le docteur Joseph Wilder[39], un spécialiste en psychiatrie et en neurologie de New York a découvert que «chez les adultes une nutrition défectueuse ou insuffisante peut à la longue détériorer ou entraver des fonctions mentales spécifiques ou générales du système nerveux central. Chez les enfants, nous faisons face à un grave facteur additionnel. Le développement du cerveau peut être retardé, arrêté, modifié (...) L'enfant peut être névrosé, psychopathe, sujet à faire de l'anxiété, à avoir des tendances à faire des fugues, à être agressif, à avoir des impulsions incontrôlables d'activité et de destruction, ainsi qu'une altération des sensibilités morales. En mots très simples, c'est une tendance à nier tout, à contredire tout, à refuser tout, à tout prix.»

Cette déclaration peut vous permettre de mieux comprendre ces enfants qui, dans les épiceries, crient et piétinent de toutes leurs forces à côté de ces mères dont le chariot est rempli de boissons sucrées, de biscuits, de bonbons, de gâteaux et de pizzas. Ils sont une condamnation douloureuse d'une alimentation surchargée de sucre et d'aliments à calories vides.

En 1941, N. Rojas et A.F. Sanchi ont donné dans les *Archives of Legal Medecine*[40] les résultats de leur examen de 129 délinquants accusés d'offenses contre des personnes et des propriétés. Tous, excepté 13, faisaient de l'hypoglycémie.

Au sujet des drogues, le docteur Abrahamson[41] a remarqué que leur usage tout comme celui de l'alcool est relié à l'hypoglycémie. Les toxicomanes, tout comme les alcooliques, réussissent à maintenir une certaine abstinence en suçant continuellement des bonbons ou en mangeant du sucre à la poignée. De plus l'usage de la morphine a une action similaire à celle de la caféine: elle élève soudainement et transitoirement le glucose sanguin. Les effets du sevrage de la morphine, coliques viscérales, sueurs froides, crampes musculaires et vasculaires et perte de conscience se retrouvent tous dans le choc insulinique, cet excès soudain d'insuline qui entraîne un abaissement critique du glucose sanguin. L'usage de la drogue se greffe lui aussi sur une alimentation faite par l'homme et non par Dieu, sur une alimentation dont les résultats donnent l'illusion d'une puissance vivifiante, d'une influence excitante, d'une euphorie inhabituelle, sur une alimentation qui donne la connaissance du mal et non la vie.

Les candidats au divorce

Les difficultés conjugales qui proviennent d'une paresse apparente, d'un manque d'amour, de l'infidélité, de l'irritabilité, de la violence et des changements de personnalité sont très souvent des symptômes d'hypoglycémie. Le docteur Sam E. Roberts[42] recommande que tout couple marié qui pense au divorce passe un test d'hyperglycémie provoquée si l'un ou l'autre (ou probablement les deux) est épuisé ou a un tempérament combatif ou violent. Les enfants ont grandi mais ils ne se sont pas assagis. Ils passent encore leur journée à consommer des boissons gazeuses, du café, des gâteaux et du spaghetti. Leur agressivité toujours présente se dirige maintenant tout entière sur leur conjoint.

Le mariage est un don de Dieu à l'homme. Il vaut la peine de le chérir et de le conserver précieusement. L'expérience heureuse de nombreux couples démontre qu'après quelques mois de traitement, l'hypoglycémie peut être contrôlée et la demande de divorce oubliée.

Les ulcères d'estomac

Le docteur Abram Hoffer[43] déclare que certaines études ont démontré que 16 à 65% (une moyenne de 40%) de tous les cas d'ulcères peptiques proviennent de l'hypoglycémie. Il suggère très fortement qu'*avant* toute intervention chirurgicale au niveau de l'estomac, il y ait une recherche sérieuse de l'hypoglycémie. Un grand nombre d'estomacs pourraient ainsi être sauvés et bien des vies embellies. La gastrectomie, loin de régler tous les problèmes en crée d'autres. Une étude de Halfen, Leichter et Reich (1975), citée par Abram Hoffer, décrit une hypoglycémie alimentaire consécutive à la gastrectomie qui entraîne une détérioration progressive du cerveau. Les convulsions, le coma, les états aigus de confusion et la démence que l'on rencontre chez certains patients qui ont subi une ablation partielle de l'estomac seraient, selon ces auteurs, le résultat de cette hypoglycémie alimentaire.

Finalement, on pourrait encore signaler que des auteurs ont déclaré que les épileptiques et les asthmatiques pourraient être hypoglycémiques. Leurs habitudes alimentaires, dans lesquelles le sucre et la caféine sont proéminents, leurs crises qui surviennent loin des repas ou peu de temps après l'ingestion de boissons gazeuses à base de sucre et de caféine (en particulier chez les enfants)[44] et dans le cas de l'asthme, les médicaments utilisés pour enrayer une crise et dont le rôle premier est d'élever le taux de glucose sanguin[45], tendent à pointer le doigt vers l'hypoglycémie comme la cause qui déclenche leurs crises.

Le docteur Tom R. Blaine[46] affirme que dans de nombreux cas, les personnes allergiques cessent de l'être lorsque l'hypoglycémie est corrigée. En effet, l'hypoglycémie, selon cet auteur, peut causer ou aggraver des allergies. Cependant les allergies peuvent aussi entraîner l'hypoglycémie. La personne qui a une allergie peut connaître, après avoir été exposée au produit allergène une élévation du glucose sanguin suivie malheureusement d'un abaissement critique. Ceci explique le phénomène de la personne qui développe un penchant et un besoin très fort pour un produit qui la rend malade. Elle recherche l'effet, malheureusement passager, du bien-être ressenti par l'élévation du glucose sanguin. (On a rapporté des cas de buveurs de whisky, allergiques au blé dont cette boisson est faite.) Le corps de la personne allergique considère l'allergène comme un poison et le traite comme tel en cherchant désespérément à le neutraliser, l'excréter, le détruire ou le combattre. Ceci entraîne naturellement un stress énorme sur le système. Or tout stress, en particulier ceux qui sont continus ou répétés, concourent à l'hypoglycémie en épuisant les surrénales[47].

Il faut conclure. Êtes-vous hypoglycémique? Sont-ils hypoglycémiques? Le docteur Alan Nittler[48] déclare: «L'hypoglycémie est une condition que je rencontre couramment dans ma pratique médicale. En fait, je suppose qu'elle est présente jusqu'à ce que le contraire soit prouvé.» Si vous ne consommez aucun sucre ni farine blanche sous aucune forme (et ne l'avez jamais fait), si vous ne buvez pas de café, de boissons gazeuses ou d'alcool (et ne l'avez jamais fait), si vous ne fumez pas (et ne l'avez jamais fait), si vous n'avez pas de stress continus ou répétés (et n'en avez jamais eus), oubliez l'hypoglycémie. Cependant, si vous avez eu un mauvais régime ou si vous l'avez encore, avant de blâmer votre enfance, l'air du temps ou la fatalité pour vos misères physiques, psychologiques ou morales, songez à ce désordre du métabolisme du sucre qui vous prive systématiquement de glucose, du carburant dont chacun de vos organes a absolument besoin pour fonctionner normalement. Pensez très sérieusement que votre cerveau n'a pas de source alternative d'énergie. En l'absence de glucose, il souffre cruellement et sérieusement. En présence d'une hypoglycémie grave ou prolongée, il subit une destruction irréversible.

Évidemment, il existe d'autres troubles, d'autres maladies que l'hypoglycémie. Les infections virales et microbiennes, les polluants (plomb, cuivre, mercure, cadmium), les déficiences vitaminiques et minérales, le cancer, entre autres sont des réalités qui causent bien des troubles physiques et psychologiques. Cependant la souffrance et les symptômes de chacune des maladies qui affligent l'homme, connaîtront toujours un merveilleux soulagement sous l'influence d'un régime alimentaire et de vie sain. C'est la raison pour laquelle des médecins[43] ont déclaré que le régime de l'hypoglycémique était une assurance-santé obligatoire à notre époque. Pourquoi ne pas essayer, honnêtement?

Le test d'hyperglycémie provoquée

Enfin, la réponse à la question «Êtes-vous hypoglycémique?» sera sans équivoque, si, après avoir fait une étude attentive de vos symptômes et de vos habitudes de vie à l'aide du questionnaire de ce chapitre, vous subissez le test d'hyperglycémie provoquée de six heures que le docteur Harvey Ross décrit dans l'appendice de ce livre.

Ce test est long, coûteux et très fatigant. C'est une des raisons pour laquelle, il est rarement prescrit au patient. Le docteur R. O. Brennan[50] recommande cependant que ce test devrait être obligatoire pour tout délinquant juvénile mis sous arrêt et pour *toute* personne, adulte ou enfant qui est placée dans une institution mentale. Il faut bien comprendre que ce test ne peut nullement guérir. Il ne peut que confirmer des soupçons.

Certains médecins demandent de se préparer au test cinq à sept jours auparavant par une consommation abusive de sucres et de féculents. D'autres jugent cette pratique erronée car elle peut activer les symptômes et fausser le test. Il est excessivement important que le patient dise au médecin (ou que celui-ci lui demande) s'il fait usage de médicaments et si tel est le cas, qu'il les abandonne une semaine avant le test, en particulier la cortisone, l'aspirine, le dilantin, la pilule anticonceptionnelle[51]. La négligence de ce facteur peut avoir de très graves répercussions causées par la réaction violente du patient médicamenté au stress du test. Il faut aussi mettre de côté pour le test, les suppléments vitaminiques.

Il faut s'attendre à ce que le test provoque des réactions graves chez le patient et même psychotiques et ce environ à la troisième heure et demie du test ou à la quatrième heure. Selon le docteur Messenger[52] 10 à 15% des courbes d'hyperglycémie provoquée anormales, démontrent leur chute maximale vers la troisième heure et demie. Si le patient sent à ce moment des symptômes, il est important d'exiger une prise de sang additionnelle à trois heures et demie. Le facteur le plus important de la lecture d'une courbe d'hyperglycémie provoquée, n'est pas tellement le point le plus bas de la chute de glucose, mais la rapidité de la chute. La rapidité à laquelle le glucose revient à un taux normal et le temps qu'il reste bas sont aussi des facteurs très importants. Une courbe peut chuter très bas mais remonter rapidement. D'autre part, une courbe peut chuter moins bas mais rester à ce point longtemps. Un temps prolongé de l'abaissement du glucose sanguin peut entraîner des réactions graves.*

---

* Le docteur H.L. Newbold, dans son livre *Mega Nutrients for Your Nerves*[53] décrit ce qu'il appelle un «home glucose test», un test d'hyperglycémie provoquée domestique, c'est-à-dire un test qui permet à l'individu de s'infliger personnellement un abaissement du taux du glucose sanguin et d'observer alors s'il subit quelques symptômes physiques ou émotifs. Le docteur Newbold, membre de l'*American*

Il est également important de maintenir au cours du test une activité raisonnable. Il est bon que le patient marche, sorte et sois actif. Le fait d'être assis ou couché, élève artificiellement la courbe.

Les jours qui suivent le test sont souvent très pénibles. Le patient peut être excessivement fatigué, déprimé ou désorienté. C'est pourquoi il est urgent qu'il adopte immédiatement des principes de survie à ce mal épidémique de notre siècle. Nous allons donc, maintenant que le problème est cerné, nous attacher à découvrir le régime de vie qui va permettre à l'hypoglycémique de contrôler son mal et de mener une vie agréable, utile et normale.

Psychiatric Association, de l'*Academy of Psychomatic Medecine*, de la *Society for Clinical Ecology*, de la *Royal Society of Health*, et de l'*International College of Applied Nutrition*, professeur de neurologie et de psychiatrie à la *North Western University Medical School* et auteur d'un manuel de psychologie utilisé dans les écoles de médecine tout autour du monde, affirme que ce test, sans être «scientifique» peut fournir une indication très forte de votre réaction personnelle au sucre. Le docteur Newbold dit encore que ce test peut paraître primitif mais ses résultats sont très souvent surprenants. Ainsi voici comment procéder.

1. Ne mangez plus rien après 22 heures.
2. Le lendemain vers 8 heures mangez deux friandises.
3. Ne prenez rien d'autre, ni eau, ni café, ni alcool, ni cigarettes pendant les six heures suivantes.
4. Il faut que quelqu'un soit avec vous pendant les six heures et note avec précision tous vos symptômes.
5. Vous aussi, verbalisez ou écrivez vos symptômes. Vous pouvez être très somnolent, déprimé, agité, fâché ou ressentir n'importe quels autres symptômes connus de l'humanité.

---

1. Cité par Brennan R.O., *Nutrigenetics*, p. 111.
2. L'universelle Bordas, *Médecine*, III 127.
3. Cité par Brennan R.O., *Nutrigenetics*, p. 111.
4. Fredericks Carlton, *Low Blood Sugar and You*, p. 19.
5. Ibid. p. 20, 21.
6. Ibid. p. 21.
7. Ibid. p. 22.
8. Ibid. p. 130.
9. Pfeiffer Carl C., *Mental and Elemental Nutrients*, p. 388.
10. Cheraskin E., Ringsdorf W.M., *Psychodietetics*, p. 79-80.
11. Nittler Alan H., *A New Breed of Doctor*, p. 79-80 et 131-134.
12. Du Ruisseau Jean-Paul, *La mort lente par le sucre*, p. 48-50.
13. Walsh Evans Isabelle, *Sugar, Sex and Sanity*, Carlton Press, N.Y. 1970.
14. Nittler Alan H., *A New Breed of Doctor*, p. 60.
15. Fredericks Carlton, *Low Blood Sugar and You*, p. 47.
16. Nittler Alan H., *A New Breed of Doctor*, p. 60.
17. Fredericks Carlton, *Low Blood Sugar and You*, p. 29, 123.
18. Pfeiffer Carl C., *Mental and Elemental Nutrients*, p. 388.
19. *Dr Donsbach tells you what you always wanted to know about HYPOGLYCEMIA revised*. The International Institute of Natural Health Sciences, Inc. 1980, p. 8.
20. Du Ruisseau Jean-Paul, *La mort lente par le sucre*, p. 141-142.
21. B.H.C., *Low Blood Sugar and You*, p. 6.
22. Nittler Alan H., *A New Breed of Doctor*, p. 139.
23. Pfeiffer Carl C., *Mental and Elemental Nutrients*, p. 388.
24. Fredericks Carlton, *Low Blood Sugar and You*, p. 122, 123.
25. Ibid.
26. B.H.C., *Low Blood Sugar*, p. 7.
27. *Dr Donsbach tells you what you always wanted to know about HYPOGLYCEMIA revised*, p. 8.
28. Jeliffe, Jeliffe, *Human Milk in the Modern World*, 1978.
29. *Food and Safety and the FDA*, San Francisco Chronicle, 10 novembre 1969, cité dans *Consumer Beware* par Beatrice Trum Hunter, p. 328-329.
30. Hoffer Abram, *Orthomolecular Nutrition*, p. 47.
31. Atkins Robert C., *Diet Revolution*, Bantam Books Inc., N.Y. 1972.
32. Fredericks Carlton, *Low Blood Sugar and You*, p. 104.
33. Weller Charles, *How to Live with Hypoglycemia*, Doubleday and Co. Inc. Garden City, N.Y. 1968.
34. Williams Roger, *Alcoholism: The Nutritionnal Approach*, The University of Texas Press, Austin, London 1978.
35. Starenkyj Danièle, *Le bonheur du végétarisme*, p. 304-313.
36. Low Blood Sugar Causes Overweight, *Prevention Magazine*, Juin 1968, p. 43 à 53.
37. Pfeiffer Carl C., *Mental and Elemental Nutrients*, p. 383.
38. Rodale J.I., *Natural Health, Sugar and The Criminal Mind*, Pyramid Books, New York, 1968.
39. Cheraskin E., Ringsdorf W.M., *Psychodietetics*, p. 77.
40. Ibid.
41. Abrahamson E.M., Pezet A.W., *Body, Mind and Sugar*, p. 190-191.

42. Roberts Sam E., *Exhaustion: Cause and Treatment,* Rodale Books Inc. Emmaus, Pa., 1967.
43. Hoffer Abram, *Orthomolecular Nutrition,* p. 53.
44. Fredericks Carlton, *Low Blood Sugar and You,* p. 44-45.
45. Du Ruisseau Jean-Paul, *La mort lente par le sucre,* p. 59-62.
46. Blaine Tom R., *Good-Bye Allergies,* The Citadel Press, New York, N.Y. 10 003, 1965.
47. Fredericks Carlton, «Allergy Causes Hypoglycemia», *Prevention Magazine,* Octobre 1974, p. 59.
48. Nittler Alan H., *A New Breed of Doctor,* p. 61.
49. Cheraskin E., Ringsdorf W.M., *New Hope For Incurable Diseases,* Arco Publishing Company, Inc., 1971.
50. Brennan R.O., *Nutrigenetics,* p. 125.
51. Airola Paavo, *Hypoglycemia: A Better Approach,* p. 53.
52. Messenger David L., *Dr Messenger's Guide To Better Health,* p. 153.
53. Newbold H.L., *Mega-Nutrients for Your Nerves,* p. 87.

4

Manger pour vivre

L'hypoglycémie est une maladie de civilisation, c'est la maladie d'une civilisation érigée sur une consommation abusive de sucre et de farine blanche, on pourrait aussi ajouter de caféine et de viande, et abreuvée de stress[1]. Ces hydrates de carbone (glucides) de fabrication humaine ont entraîné chez une proportion effarante de la population occidentale un métabolisme anormal du glucose qui se manifeste par un taux de glucose qui reste bas avec persistance ou qui ne s'élève pas suffisamment après avoir consommé des hydrates de carbone et/ou encore par des chutes soudaines, profondes et précipitées du glucose sanguin en réponse immédiate ou à retardement, à toute consommation petite ou grande de sucre, de farine blanche ou de caféine[2].

Un tel problème exige des mesures sérieuses de contrôle. Selon de nombreux médecins, l'hypoglycémie est un processus de vieillissement accéléré qui traîne dans son sillage douloureux de graves maladies de dégénérescence[3,4]. Pourtant elle peut devenir pour tous ceux qui le désirent un processus libérateur. En effet, l'hypoglycémie correctement corrigée permet à sa victime de jouir d'une santé physique et mentale ainsi que d'un bien-être personnel, familial et social tout à fait enviable. Par contre, c'est une maladie dont on ne guérit pas si... par guérir on veut comprendre la possibilité de retourner à ses anciennes habitudes... Mais, — quelle source d'encouragement, — on peut survivre à un tel problème et même très bien si l'on veut se donner la peine de redécouvrir et d'appliquer dans sa propre vie les principes simples, efficaces et antiques du savoir-vivre physiologique de notre corps.

Revenons maintenant au docteur Seale Harris. Rappelons-nous que c'est lui qui, le premier, a observé, étudié et décrit ce désordre et ce, en 1924. Mais insistons maintenant sur le fait que c'est lui également qui, répétons-le en 1924, en a formulé l'unique traitement: un régime totalement dépourvu de sucre et de farine blanche, produits remplacés par une abondance de protéines d'origine animale (viande, œufs, fromage) et caractérisé par de multiples repas tous riches en protéines. C'est ce que les livres de médecine appelle «le régime Seale Harris» pour l'hypoglycémie, un régime riche en protéines animales et donc riche en gras saturés et pauvre en hydrates de carbone.

On est surpris, on est sceptique: un tel désordre, un problème d'une telle envergure peut-il avoir réellement une solution si simple[5] ?

Il est important cependant de savoir qu'alors que Seale Harris mettait sur pied son régime, la science de la nutrition était encore dans sa toute première enfance. En effet la majorité des vitamines n'avait pas encore été découverte, la connaissance de la biochimie et du métabolisme humain était limitée, la relation entre la nutrition et les maladies, excepté dans des cas précis et cliniques de kwashiorkor (carence en protéines), de diabète, de pellagre (carence en B_3), de béri-béri (carence en B_1), de scorbut (carence en vitamine C) et de rachitisme (carence en vitamine D), était ignorée. De plus, depuis Liebig, un physiologiste allemand du 19e siècle, les protéines étaient considérées comme l'élément le plus important d'une nutrition adéquate et l'on pensait couramment que plus on en prenait, mieux cela était.

Aujourd'hui la science de la nutrition a fait des progrès énormes et bien des vérités d'autrefois sont devenues des hérésies. De plus, depuis que le docteur Abrahamson et son associé A.W. Pezet ont popularisé cette maladie par leur livre *Le corps, l'esprit et le sucre* publié en 1951, de nombreux médecins ont accumulé une foule d'observations sur les effets à court et à long terme du régime Seale Harris, riche en protéines animales, en gras et pauvre en hydrates de carbone. Et tout comme il a déjà fallu dans le passé abandonner l'idée que le diabète se maîtrisait en déterminant avec précision la tolérance du diabétique aux hydrates de carbone et accepter que cela se fasse plutôt en limitant son ingestion de graisses et en élargissant son absorption d'hydrates de carbone[6], aujourd'hui plusieurs voix s'élèvent pour proposer un régime pour l'hypoglycémique en accord avec les connaissances actuelles de la nutrition.

On ne peut nier que le régime Seale Harris supprime les symptômes de l'hypoglycémie, mais on ne peut non plus ignorer que lorsqu'il est poursuivi sur une période prolongée (plus de trois mois), il finit par empirer la situation de l'hypoglycémique en aggravant ses symptômes. Des études sérieuses ont démontré qu'un régime riche en protéines est extrêmement épuisant pour les surrénales, ces glandes chargées, entre autres, de décharger l'adrénaline afin d'élever le glucose sanguin. Un tel régime entraîne leur écroulement complet. On est obligé de reconnaître qu'il est malheureusement symptomatique et qu'il n'offre pas de guérison réelle. C'est une cure inefficace car elle doit être maintenue indéfiniment[7].

La science moderne de la nutrition a accumulé énormément d'évidences et de preuves qui démontrent d'une façon absolue le danger d'une alimentation riche en protéines animales et en graisses. Or le régime Seale Harris se définit comme un régime riche en protéines et en graisses. La science moderne de la nutrition a également démontré l'importance des hydrates de carbone dans une alimentation rationnelle et le rôle indispensable qu'ils jouent dans notre métabolisme. Elle a aussi donné des preuves irréfutables qu'il y a des différences précise entre les hydrates de carbone complexes ou entiers et les hydrates de carbone raffinés. Or le régime Seale Harris se définit également comme un régime pauvre en hydrates de carbone et il ne fait pas de distinction entre le produit à base de sucre et de farine blanche et la céréale entière.

Il est donc important, à la lumière de la nutrition moderne de découvrir un régime de l'hypoglycémique qui soit en harmonie avec ses données précises.

Par exemple, en 1977 le *Senate Select Committee on Nutrition and Human Needs* après de nombreuses études sur les effets de divers régimes sur la santé, a adapté et publié un document très intéressant intitulé: *United States Dietary Goals* .

Les grandes lignes de ce rapport se fixent comme buts d'amener les Américains à augmenter leur consommation d'hydrates de carbone (naturels) pour qu'ils représentent 60% de leur ration globale, à diminuer leur consommation totale de gras saturés au point qu'ils ne composent que 10% de leurs calories totales, à diminuer leur consommation de cholestérol à 300mg par jour, à abaisser de 40% à 15% leur consommation de sucre, à diminuer d'environ 85% leur usage du sel afin de ne pas dépasser 5 g par jour.

Pour atteindre ces buts, le comité a suggéré une augmentation de l'usage des fruits, des légumes et des céréales complètes, une diminution de l'usage de la viande et l'augmentation de l'usage de la volaille et du poisson, une diminution des aliments riches en gras, l'usage du lait à 2%, une diminution de l'usage du beurre, des œufs et d'autres aliments riches en cholestérol, une diminution de l'usage du sucre et des aliments riches en sucre, une diminution de l'usage du sel et des aliments riches en sel.

Ces recommandations faites par ce comité du Sénat des États-Unis après de très sérieuses audiences et de nombreuses consultations auprès d'une foule d'hommes de science ne peuvent être ignorées. Le docteur Mark Hegsted, de l'Université Harvard, résume en des termes que nous devons garder à l'esprit dans l'élaboration d'un régime sain et rationnel de l'hypoglycémique, les habitudes alimentaires américaines: «Les Américains mangent trop de gras — en particulier trop de gras saturés — trop de cholestérol, trop de sel, trop de sucre. Ils devraient couper leur consommation de ces produits et augmenter leur consommation de fruits, de légumes et de céréales, en particulier de céréales à grains entiers[8].»

À la suite de ces recommandations gouvernementales, plusieurs hommes de science ont publié les résultats de leurs recherches sur les méfaits de la viande, cet aliment qui est à la base du régime occidental et qui a déplacé l'usage des céréales non raffinées. Le docteur John A. Scharffenberg, professeur associé de nutrition appliquée à l'Université Loma Linda* (É.U), a affirmé lors d'un congrès annuel de l'*American Association for the Advancement of Science* à Washington (D.C.), que la viande comporte plusieurs facteurs cancérogènes. Ces facteurs sont[10]:

1. *Des carcinogènes chimiques* comme le benzopyrène du steak au charbon de bois, le méthylcholanthrène du gras de la viande cuite, les nitrites du jambon, du bacon, etc...

2. *Des virus cancéreux.* Ceux-ci se trouvent dans les tumeurs des animaux atteints de cancer et peuvent être transmis d'un animal à un autre dans une même espèce et d'une espèce à une autre. En 1974, il a été démontré que des chimpanzés nourris depuis leur naissance avec du lait de vaches leucémiques mouraient de leucémie dans la première année de leur vie[11].

Une telle étude se passe de commentaires et il est superflu d'en souligner le caractère grave. Il est presque impossible pour un spécialiste en virologie de penser que les nombreux virus des tumeurs animales ne trouveront pas à se développer dans l'espèce humaine[12].

3. *Un manque de fibres.* Le cancer du côlon est le plus répandu aux États-Unis et il est de 8 à 15 fois plus fréquent que dans les populations nourries principalement d'aliments non raffinés et donc riches en fibres. Un manque de fibres cause un transit intestinal prolongé allant jusqu'à 77 heures alors qu'une alimentation riche en fibres (céréales, fèves, fruits, légumes) permet un transit intestinal de 30 heures au maximum. Un manque de fibres permet aux acides biliaires un contact prolongé et nocif avec la muqueuse intestinale. Il permet aussi une absorption importante de cholestérol. Un régime riche en viande, lait et œufs est un régime pauvre en fibres, ces aliments n'en comportant pas du tout[13].

---

* Cette université de l'Église adventiste du 7e jour a un département de nutrition spécialisé en nutrition végétarienne.

On dit encore que l'usage de la viande favorise une maturation sexuelle rapide. Or une étude japonaise a démontré que les filles qui ont leurs menstruations avant 13 ans courent 4,2 fois plus de risques d'avoir le cancer du sein que celles qui les ont après 17 ans. En laboratoire, les animaux soumis à un régime riche en protéines animales connaissent une maturation et un vieillissement beaucoup plus rapides que les animaux soumis à un régime végétarien. Une maturation rapide est définitivement associée à une longévité raccourcie[14].

On sait également depuis longtemps qu'un régime riche en protéines cause l'hypertrophie du foie et des reins ainsi que l'inflammation de ces derniers (néphrite). Le corps doit se débarrasser de l'excès des protéines. Pour cela, il accélère leur dégradation et leur excrétion. Le nitrogène additionnel est transformé dans le foie et excrété dans l'urine. Ceci entraîne naturellement une surcharge pour le foie et les reins qui graduellement s'hypertrophient pour pouvoir s'occuper de cet excès[15]. On comprend pourquoi alors certains médecins sont farouchement opposés au régime de l'hypoglycémique riche en protéines animales. Celui-ci entraînerait des désordres graves des organes vitaux et en particulier du foie sur la santé duquel l'hypoglycémique dépend d'une manière critique.

L'excès de protéines animales est également associé à une perte importante du calcium dans l'urine ce qui cause une diminution de la densité des os et l'ostéoporose. Il est reconnu qu'un régime végétarien est le meilleur antidote de cette maladie qui affecte particulièrement les femmes de 50 ans et plus[16].

L'usage quotidien et répété de viande augmente pour le consommateur les risques de trichinose et de salmonellose, infections intimement associées à cet article. On compte aux États-Unis deux millions de cas de salmonellose chaque année, cette infection bactérienne qui entraîne la mort de 0,22% des cas et qui, à l'heure actuelle ne peut être enrayée. Les larves de la trichinose que l'on retrouve essentiellement dans la viande de porc peuvent se propager à la viande de bœuf par l'usage du même couteau ou du même hache-viande. En 1974, au New Jersey, de 8 à 20% des boucheries avaient de la viande de bœuf contaminée par du porc. Il faut se rappeler que seule la cuisson prolongée qui élève la température au centre même du morceau de viande à 58°C détruit les larves de la trichinose[17].

On rapporte encore que l'excès de protéines animales altère la capacité du corps de fabriquer certains neurotransmetteurs responsables de la vivacité cérébrale, de la bonne humeur, de la motivation, de la bonne volonté et de l'intérêt apporté à une tâche donnée. Les hydrates de carbone, au contraire, stimulent la fabrication de ces neurotransmetteurs dont la carence entraîne chez les animaux observés, de l'insomnie, un appétit accru et une activité sexuelle excessive[18].

Ainsi les faits nous incitent à délaisser un régime riche en protéines animales. De plus, le raisonnement qui soutient l'importance du régime de l'hypoglycémique riche en protéines animales et donc en gras, pauvre en hydrates de carbone (glucides), est basé sur des arguments qui aujourd'hui ne peuvent plus être maintenus non plus. En effet, le docteur Seale Harris a choisi comme le dénominateur principal du traitement de l'hypoglycémie les protéines animales car seulement 56% de celles-ci se transforment en glucose dans le corps et que cette transformation est lente et laborieuse. Il est intéressant de noter le commentaire du docteur Abrahamson: «Il devrait clairement être compris (...) que nous indiquons un régime qui va faire *échec* aux *attaques* (c'est nous qui soulignons) d'hyperinsulinisme (un autre terme médical pour l'hypoglycémie) (...) Un régime riche en gras pendant toute une vie serait dangereux car, il faut s'en rappeler, il peut causer l'athérosclérose ou le diabète[19].» L'athérosclérose consiste en un épaississement des parois des artères, ce qui peut entraîner des attaques de cœur, des paralysies et d'autres problèmes. Nous le savons aujourd'hui, la viande est une source élevée de cholestérol et de gras saturés ce qui permet d'indiquer une relation entre un régime basé sur l'usage de la viande et l'athérosclérose[20]. Déjà en 1961, il y a donc vingt ans, un article paru dans le *Journal of The American Medical Association* affirmait: «Un régime végétarien peut prévenir 97% de nos occlusions coronariennes[21].» De plus, un régime riche en gras animal affaiblit l'activité du pancréas, en particulier des îlots de Langerhans. Abrahamson déclare encore: «Himsworth a démontré que les diabétiques avant qu'ils ne le deviennent n'étaient pas de gros mangeurs de féculents. *Ils étaient de gros mangeurs de gras.* (C'est nous qui soulignons). Il a démontré que les nations dont le régime était presque exclusivement composé d'hydrates de carbone — tels que les Chinois et les Japonais dont l'aliment de base est le riz — avaient très peu de diabète. D'un autre côté les Juifs qui consomment tant de gras animal et les Italiens avec leur usage énorme d'huile d'olive, sont les plus affligés par cette maladie[22]. »

Il semble donc d'après ces réflexions que le régime de l'hypoglycémique riche en protéines, riche en gras et pauvre en hydrates de carbone est véritablement symptomatique. Certes il permet de tenir en échec les attaques mais il ne corrige nullement le problème. Pire, à long terme, il peut entraîner des problèmes plus graves que celui qu'il veut soigner.

Il ne faudrait par contre pas trop en vouloir à Seale Harris d'avoir choisi la viande comme dénominateur principal du régime de l'hypoglycémique. La viande était considérée à cette époque comme un aliment parfait, un aliment idéal. Et aujourd'hui n'est-elle pas toujours officiellement prise comme le standard d'une bonne nutrition, comme le critère par excellence de la qualité des autres aliments et cela en dépit des faits irréfutables et pleinement soutenus par des recherches scientifiques sérieuses, démontrant qu'une alimentation basée sur la consommation de la viande présente des problèmes nutritionnels complexes et même graves? Voici à ce sujet, les arguments du docteur John A. Scharffenberg qui affirme sans ménagement, car il a toutes les preuves pour le soutenir, que « contrairement à l'opinion générale, il est *plus difficile* d'avoir une bonne nutrition *avec* de la viande que sans viande[23] ».

Premièrement, la viande est carencée en hydrates de carbone. En fait, c'est un aliment unique sous cet aspect, car elle n'en contient à toute fin pratique pas. Souvenons-nous, qu'un des buts du *Senate Select Comittee on Nutrition and Human Needs* est d'élever la consommation des hydrates de carbone à 60% des calories totales des Américains. Les hydrates de carbone fournissent 100% de glucose à notre courant sanguin. Ce sont donc eux et non les protéines qui sont les meilleures sources de chaleur, d'énergie, d'endurance et de force. La relation entre les régimes riches en protéines et en gras et pauvres en hydrates de carbone et la fatigue et le manque d'endurance, est connue depuis longtemps[24 25]. Disons-le encore une fois, c'est le glucose qui est le combustible privilégié de notre corps et le combustible exclusif de notre cerveau. Notre cerveau ne peut stocker le glucose. Il en a un besoin régulier, constant, seconde après seconde pour ses activités. Le glucose sanguin est aussi important pour vivre que l'air que nous respirons, et sa carence, même courte, a sur le cerveau des effets aussi désastreux. Il est donc de la plus haute importance d'avoir un régime riche en hydrates de carbone pour jouir d'une énergie et d'une endurance maximales.

Deuxièmement, la viande est une source importante de gras saturés et ce contenu abusif en gras est une cause majeure d'athérosclérose, de cancer, d'obésité et de diabète[26]. Il est intéressant de noter comme nous l'avons déjà fait remarquer, que le régime recommandé actuellement pour le diabète n'est plus un régime riche en protéines et en gras. On connaît trop maintenant les conséquence d'un tel régime et la mortalité accrue par l'athérosclérose qu'il a causée chez ces malades. À présent le traitement de base du diabète sucré léger est un régime riche en hydrates de carbone complexes (céréales complètes, fruits, légumes frais)[27].

Troisièmement, la viande comporte un excès de protéines. Cet excès augmente les pertes en calcium de l'individu et tend à causer l'ostéoporose; il augmente le travail du foie et des reins et diminue la longévité. Plus encore, l'excès de protéines entraîne des carences vitaminiques car leur métabolisme exige des doses élevées de ces éléments. Plus on consomme de viande, plus on a besoin de vitamine A, de vitamines B_{12}, B_6 et d'acide folique pour répondre à tous les besoins du corps[29].

Le docteur Scharffenberg en est convaincu: contrairement à la croyance populaire, c'est un régime carné et non un régime végétarien qui exige beaucoup de connaissances, des calculs complexes et des combinaisons soignées[30]. Pour lui, il est évident qu'il est difficile d'obtenir une nutrition adéquate lorsque celle-ci est basée sur la viande et il recommande que toute personne qui consomme de la viande soit apte à résoudre les problèmes suivants[31]:

1.) Elle doit connaître le contenu en cholestérol des viandes afin de ne pas excéder la dose limite de 300 mg par jour.

2.) Elle doit connaître le contenu en gras saturés des divers aliments afin que ceux-ci ne composent pas plus de 10% des calories de la ration quotidienne.

3.) Si une personne a besoin d'abaisser son taux de cholestérol et désire continuer à consommer de la viande, elle ne peut se permettre que 4% de ses calories totales sous forme de gras saturés. Il est nécessaire de savoir qu'un steak de 100 grammes a 13 grammes de gras saturés et un morceau de rôti de côtes du même poids a 16 grammes de gras saturés[32].

4.) Dans le cadre d'une alimentation carnée, il est difficile, sans augmenter aussi l'apport en calories, d'augmenter sa consommation d'hydrates de carbone nécessaires pour une force, une endurance et une énergie maximales.

5.) Il est aussi difficile d'avoir un apport adéquat en fibres car la viande n'en contient pas du tout. Il est donc essentiel de connaître le contenu en fibres des autres aliments et d'en manger en quantité suffisante. Rappelons ici que la viande, le lait, le fromage, le sucre, la farine blanche, l'alcool, les œufs et les graisses sont des aliments dépourvus de fibres.

6.) Finalement, la viande est un aliment pauvre en calcium et de plus, à cause de son excès de protéines, elle entraîne son excrétion dans l'urine. Il est donc important qu'une personne qui a un régime riche en protéines sache où se procurer du calcium sans augmenter en même temps sa consommation de protéines. Rappelons que le lait et le fromage sont des produits riches en calcium mais aussi en protéines[33].

Le docteur Scharffenberg, — rappelons qu'il s'adressait à un public hautement scientifique, — conclut sa présentation en affirmant qu'un régime végétarien, au contraire n'a pas à se soucier de cholestérol et de gras saturés. Il fournit une ration adéquate de fibres et d'hydrates de carbone sans calcul spécial, et des protéines au-dessus de tout soupçon pour peu que les aliments consommés soient entiers (non raffinés), consommés en quantité suffisante pour permettre le maintien d'un poids adéquat et variés[34 35].

Depuis plusieurs décennies, la curiosité scientifique a amené des hommes et des femmes à étudier les effets de la viande sur le corps humain tout comme cela a été fait pour l'alcool, le tabac, le café. Les conclusions ont été étonnantes, bouleversantes, agaçantes... Comme le dit le docteur Scharffenberg, nous possédons maintenant des évidences flagrantes que l'une des habitudes alimentaires les plus vieilles de l'homme, l'usage de la viande comme aliment, est — très littéralement — en train de le tuer[36]. La logique veut que si un aliment rend malade une personne en santé, il ne pourra certainement pas redonner la santé à une personne malade. Aujourd'hui l'exactitude scientifique nous oblige à délaisser le régime de l'hypoglycémique basé sur une consommation excessive de viande, d'œufs et de fromage.

Continuons nos recherches. On découvre bientôt qu'une cause de l'élaboration d'un tel régime basé sur les protéines animales, provient de la confusion au sujet des hydrates de carbone (glucides) qui met sur un pied d'égalité les hydrates de carbone naturels et les hydrates de carbone raffinés, c'est-à-dire ceux qui sont fabriqués par l'homme. Or, il existe entre ces deux catégories d'aliments des différences appréciables.

Les hydrates de carbone naturels sont les fruits, les légumes (légumes frais, légumes racines, légumes secs ou légumineuses), les noix et les grains entiers (céréales). Leur caractéristique principale est qu'en plus de l'abondance des glucides qu'ils fournissent à l'organisme, ils offrent également une abondance de vitamines, de minéraux, de fibres et d'eau. En d'autres termes, les hydrates de carbone naturels composés de sucres simples, de sucres doubles et de sucres complexes ne se trouvent pas à l'état libre et isolé mais ils sont toujours offerts à l'homme au sein d'une multitude de nutriments. Ils sont particulièrement riches en vitamines B qui permettent leur métabolisme et en fibres qui régularisent leur taux d'absorption. En effet, les hydrates de carbone naturels complexes prennent de 4 à 10 heures pour être digérés et ils offrent ainsi un flot constant de glucose au corps sur une période de 24 heures lorsqu'ils sont pris en deux ou trois repas au maximum. Ils n'entraînent pas de surcharge pour les glandes endocrines (pancréas, foie, surrénales) ni de surmenage. C'est pour cette raison que le docteur Nathan Pritikin, le directeur du *Longevity Research Institute*, Santa Barbara, Californie, affirme que la consommation importante d'hydrates de carbone complexes élimine totalement les symptômes de l'hypoglycémie[37].

D'autre part, les hydrates de carbone raffinés, fabriqués par l'homme, sont: le sucre de table ordinaire, les cassonades, les sirops, les fécules de maïs et de pomme de terre, la farine blanche et tous les produits dont ils sont les principaux ingrédients: bonbons, gelées, confitures, mélasses de fantaisie, boissons gazeuses, breuvages, pain, pâtes alimentaires, pizza, gâteaux, crémages, flancs, sauces, biscuits, craquelins, tartes, spaghetti, nouilles, macaroni. L'alcool, l'orge perlé, le riz blanc et toutes les céréales commerciales raffinées, (flocons de maïs, riz soufflé, etc...) sont également des hydrates de carbone raffinés. Tous ces produits connus sous la désignation de sucres et d'amidons, sont des produits artificiels car ils n'existent pas sous cette forme à l'état naturel. Ils ont subi sous la main de l'homme une concentration nocive, qui font d'eux des substances étrangères pour lesquelles notre corps n'a jamais été créé. Cette concentration s'est opérée d'une part par l'élimination presque complète de tous les nutriments dont les hydrates de carbone sont naturellement riches: vitamines, minéraux, protéines d'excellentes qualité dans le germe des céréales, graisses. Ils sont devenus ainsi des aliments à «calories vides» avec peu de valeur nutritive. Il est terrible de penser que ces produits composent 40% de la totalité des aliments consommés par le Nord-Américain[38].

D'autre part, cette concentration s'est effectuée par la mise de côté des fibres, ce nutriment essentiel qui permet la dilution naturelle des sucres et des amidons des hydrates de carbone non raffinés. Par exemple, une pomme livre au corps l'équivalent d'une cuillerée à thé de sucre. Par expérience nous savons qu'il est plutôt difficile de manger six pommes en deux ou trois minutes.

Or, il est très facile de prendre six cuillères à thé de sucre de table, de les dissoudre dans de l'eau et de les avaler en deux ou trois minutes[39]. Une tasse de lait au chocolat, tout comme une portion de crème glacée a six cuillerées à thé de sucre, une pointe de tarte aux pommes du commerce a douze cuillerées à thé de sucre, un morceau de gâteau au chocolat en a quinze[40]. Nous savons aussi, par expérience, qu'il est facile de consommer deux ou même trois portions de ces produits sans avoir à se forcer beaucoup. Mais le sucre de canne est tellement dilué dans la canne à sucre qu'il est virtuellement impossible de consommer suffisamment de cet aliment pour arriver à faire un excès du sucre qu'il contient.

Revenons aux principaux hydrates de carbone raffinés de notre alimentation, le sucre et la farine blanche. L'élimination des nutriments fait de ces produits des voleurs et des menteurs, car comme ils ne possèdent plus les ingrédients qui permettraient leur propre métabolisme, en particulier les vitamines B, ils sont obligés de les rechercher dans d'autres aliments (et par le fait même de les rendre déficients) ou dans les tissus du corps déjà affaiblis par un approvisionnement inadéquat et par des prélèvements constants.*

Manger du sucre et de la farine blanche, c'est systématiquement priver son corps des nutriments dont il a besoin, en lui faisant croire qu'il est bien nourri. C'est créer et entretenir une famine cellulaire chronique, c'est exister plutôt que vivre, c'est le crépuscule plutôt que le plein jour.

En étudiant le tableau suivant, qui allie les chiffres indiquant le taux des vitamines et des minéraux ôtés dans

---

* Le docteur Roth de New York, rapportent les docteurs Cheraskin et Ringsdorf, a calculé la perte en vitamines B_1 et B_2 qu'entraîne la consommation de 54 kilos de sucre par année et il l'a estimée à 90 mg. En effet, 54 kilos de sucre par année représentent 500 calories tirées du sucre chaque jour. Pour métaboliser 500 calories d'hydrates de carbone, il faut 0,25 mg de thiamine et de riboflavine parmi d'autres vitamines et enzymes. Comme le sucre ne possède pas ces nutriments, le corps doit les obtenir des autres aliments qui très souvent ne les possèdent pas non plus (pain blanc, pâtes alimentaires, riz blanc, etc...) Ainsi chaque jour, le corps a un déficit de 0,25 mg de B_1 et B_2. En une année, le déficit en vitamines B_1 et B_2 seulement, peut s'élever à 90 mg (0,25 mg x 365).

le processus du raffinage du blé et les effets (partiels) de leur carence sur la santé humaine, vous pourrez tirer vos propres conclusions[41] [42] [43] [44].

Nutriment	% ôté	Effet de la déficience
Vitamine A	90%	Peut aboutir à la cécité nocturne, à une susceptibilité accrue aux infections, à une peau sèche et squameuse, un manque d'appétit et de vigueur, des dents et des gencives défectueuses, à une croissance entravée.
Vitamine $\mathbf{B_1}$	77%	Peut conduire à une perte de l'appétit, de la faiblesse et de la lassitude, de l'irritabilité nerveuse, de l'insomnie, à la dépression mentale, la constipation et l'amaigrissement.
Vitamine $\mathbf{B_2}$	80%	Peut être la cause des yeux qui piquent et qui brûlent, des fissures au coin des lèvres, de l'inflammation de la bouche, des yeux injectés de sang, d'une langue violacée.
Vitamine $\mathbf{B_3}$	81%	Peut causer la pellagre dont les symptômes sont: l'inflammation de la peau et de la langue, des troubles gastro-intestinaux, un mauvais fonctionnement du système nerveux, des maux de tête, la fatigue, la dépression mentale, des douleurs vagues, l'irritabilité, l'inflammation des nerfs, la perte de poids, l'insomnie, une fatigue généralisée, la perte de l'appétit.
Vitamine $\mathbf{B_6}$	72%	Peut entraîner la nervosité, l'insomnie, des éruptions de la peau, la perte du contrôle musculaire, la tension prémenstruelle, l'arthrite.

Vitamine B 12	77%	Peut causer des anémies nutritionnelles et pernicieuses, un mauvais appétit et une incapacité de grandir chez les enfants, la fatigue, des désordres graves du système nerveux.
Acide pantothénique	50%	Peut conduire à des anomalies de la peau, une croissance retardée, des pieds douloureux et brûlants, des périodes d'étourdissement, des troubles digestifs.
Vitamine D	90%	Peut causer le rachitisme, la carie dentaire, une croissance retardée, un manque de vigueur, la faiblesse musculaire.
Vitamine E	86%	Peut entraîner une fragilité accrue des globules rouges, une perte de la fertilité et des désordres musculaires.
Acide folique	67%	Peut causer des défauts congénitaux, l'infertilité, de l'anémie.
Choline	30%	Peut aboutir à la cirrhose et à la dégénérescence graisseuse du foie, au durcissement des artères.
Calcium	60%	Entraîne une mauvaise formation osseuse, la carie dentaire, la tension nerveuse, la fatigue, les battements irréguliers du cœur.
Chrome	40%	Entraîne des retards de croissance, une moins grande efficacité de l'insuline et donc une intolérance au glucose. Le chrome est aussi appelé facteur de tolérance au glucose ou FTG.

Cobalt	89%	Cause un mauvais développement des globules rouges et a une influence possible sur la stérilité.
Fer	76%	Cause l'anémie, peut entraîner des complications obstétricales.
Magnésium	85%	Peut causer l'irratibilité nerveuse, des troubles musculaires allant jusqu'aux convulsions, la formation de pierres sur les reins lorsque la carence est combinée à une carence en B_6.
Manganèse	86%	Peut causer la stérilité et la maladie mentale.
Phosphore	71%	Empêche la formation normale des os et des dents.
Potassium	77%	Empêche la tonicité des muscles, l'action normale du cœur et des nerfs et l'accumulation du glycogène.
Sélénium	16%	Diminue l'efficacité de la vitamine E, augmente la toxicité du cadmium et du mercure.
Sodium	78%	Entraîne la perte de l'appétit, les nausées, les vomissements, les maux de tête, la fatigue, les crampes, la faiblesse musculaire, les modifications de l'apparence (les yeux sont enfoncés, les joues creuses, la peau plissée), peut entraîner la carie dentaire.
Zinc	78%	Peut entraîner un retard de croissance, le nanisme, des troubles de la prostate, les vergetures, des troubles mentaux et empêcher la guérison des plaies.

Après un tel tableau, il faut aussi rappeler que le raffinage de la canne à sucre rejette 93% de la totalité des nutriments nécessaires à son métabolisme: 93% du chrome, 89% du manganèse, 98% du cobalt, 83% du cuivre, 98% du zinc, 98% du magnésium, 100% des vitamines B[45]. Nous savons qu'en l'absence de ces nutriments, le métabolisme des hydrates de carbone est très fortement compromis. Il faut aussi dire que le raffinage enlève au blé les 2/3 de ses protéines et la moitié de ses graisses. Si l'on peut se consoler de l'enrichissement, il faut dire qu'il n'a pas encore atteint le sucre et qu'il ne fournit au blé, en remplacement des vingt-trois éléments ôtés dans des proportions allant de 30 à 90%, que quatre éléments: trois vitamines et un minéral.

Ainsi donc, les hydrates de carbone raffinés sont privés d'éléments nutritifs. Cependant, la tragédie de ces hydrates de carbone ne s'arrête pas là. Le mépris des fibres et leur déplacement ajoutent encore au dossier déjà noir de ces produits. Privés de toute cellulose ou fibres, ces produits ne nécessitent pas de mastication sérieuse. Ils sont souvent absorbés directement dès les muqueuses de la bouche et noient le courant sanguin. Ils reçoivent ainsi peu d'insalivation et stimulent mal la production du suc gastrique nécessaire à leur digestion. Cependant étant privés de protéines, ils ne fournissent pas à l'estomac une protection contre la production d'acide hydrochlorhydrique et sont considérés, à ce niveau, comme une cause de l'ulcère peptique[46]. Les protéines amortissent l'effet de l'acide sécrété par l'estomac. En leur absence, cet acide, au lieu d'attaquer les protéines, attaque les parois de l'estomac. L'absence de fibres empêche le rassasiement adéquat qui se manifeste par le sentiment d'être «plein». Les fibres sont les barrières physiologiques à la gloutonnerie car elles prennent de la place dans l'estomac et les intestins. Insistons encore une fois: pour consommer sous la forme d'un hydrate de carbone naturel la quantité de sucre que le Nord-Américain consomme en une seule journée, il faudrait manger plus d'un kilogramme de betteraves à sucre ou encore vingt pommes[47]. Cela est tout à fait improbable et pourtant sous sa forme raffinée, le sucre est avalé sans même s'en apercevoir. Le slogan qui veut que les hydrates de carbone fassent grossir doit être précisé. Les sucres et les amidons — ces glucides raffinés et artificiels — sont une cause directe d'obésité, mais les fruits et les céréales complètes ont en eux-mêmes des éléments qui régularisent l'appétit et empêchent la suralimentation. Il n'y a pas un animal sauvage qui, au milieu d'un champ d'herbe grasse, va trop manger. Il ne connaît rien des calories mais ses mécanismes d'appétit et de satiété le protègent infailliblement. Malheureusement, ceux-ci ne peuvent fonctionner avec des hydrates de carbone raffinés.

La consommation de ces produits concentrés et carencés inflige à la production d'insuline du pancréas un fardeau inusité car ils arrivent au pancréas non seulement très rapidement mais encore en grande quantité. Ce sont ces deux facteurs, rapidité et quantité qui causent des dommages à cet organe vital. Il est vrai que les hydrates de carbone raffinés sont une source d'énergie rapide qui peut être utile dans une urgence. On peut toujours brûler de l'essence dans une fournaise domestique. Cela va marcher mais au dépens du mécanisme. L'activité de notre corps ne ressemble pas à celle d'un moteur à essence, mais à celle d'un moteur Diesel. Ce dernier, on le sait, est plus efficace et il donne son meilleur rendement par la combustion plus lente d'un carburant plus brut[48].

Au niveau de l'intestin grêle, l'absorption des hydrates de carbone raffinés n'est pas freinée par les fibres et là encore, il y a une plus grande assimilation (97% au lieu de 92% pour les aliments fibreux)[49]. On comprend pourquoi ces produits sont si dangereux pour l'hypoglycémique car ils se transforment rapidement en une grande quantité de glucose. Malheureusement une fois dans le gros intestin, les hydrates de carbone raffinés ralentissent leur tempo. Le manque de fibres empêche leur élimination rapide. Ils stagnent et deviennent ainsi une cause de la diverticulite et un facteur dans le cancer du côlon. Bientôt l'accumulation putréfactive des matières fécales entraîne une pression sur les grandes veines pelviennes. La circulation dans tout le pelvis est ralentie ainsi que dans les jambes et le résultat peut être les hémorroïdes, les varices, l'enflure du scrotum, la thrombose fémorale[50].

On reconnaît aussi aux hydrates de carbone raffinés un rôle prépondérant dans les maladies de la vésicule biliaire et de l'appendice, dans les infections urinaires qui peuvent se produire par la migration des bactéries virulentes de l'intestin surchargé de sucre et d'amidon à travers le système lymphatique, dans les maladies coronariennes causées par la dégénérescence des artères qui ont des dépots anormaux de cholestérol et de gras[51]. En effet, on reconnaît à l'heure actuelle que l'addition de sucre au régime augmente le cholestérol sanguin et que l'ajout de fibres le diminue[52]. Les fibres ont la capacité de se lier aux acides biliaires qui transportent le cholestérol et de les excréter ainsi hors du corps.

Il faut l'avouer, l'homme n'a jamais pu améliorer les produits de la nature mis à sa disposition par Dieu qui est amour et sagesse. Les hydrates de carbones raffinés sont des destructeurs de la santé physique et mentale de l'homme. Ce sont des anti-aliments car ils n'en remplissent aucune des fonctions physiologiques. Au contraire, les hydrates de carbone naturels sont indispensables et parfaitement adéquats. C'est une erreur grave de les confondre et de les rejeter en bloc.

Un régime qui ignore les hydrates de carbone naturels ou qui les réduit au minimum va automatiquement poser à l'organisme des embarras sérieux. Il faut, une fois de plus, redire que les hydrates de carbone naturels ou glucides sont la principale source d'énergie de toutes les activités du corps parce qu'ils se transforment en glucose. Le corps emmagasine peu le glucose et il en a un besoin constant. Sans glucose, les cellules de notre corps ne peuvent accomplir leurs fonctions vitales qui sont la manufacture des protéines qui construisent les muscles et la sécrétion des enzymes et d'autres substances qui contrôlent les battements de notre cœur, notre respiration, notre activité cérébrale et l'excrétion des déchets ou toxines de notre système.

Une absence d'hydrates de carbone est désastreuse pour les protéines qui doivent alors être converties en glucose et qui ne peuvent servir à la construction des tissus. D'autre part, ce n'est qu'en présence d'hydrates de carbone que les protéines sont correctement assimilées et conservées dans l'organisme. Les hydrates de carbone sont également nécessaires pour que les graisses soient normalement assimilées. En leur absence, seulement 10% des graisses peuvent être transformées en glucose. Il s'en suit énormément de déchets (90%) qui produisent de l'acidose par accumulation de corps cétoniques[53].

Il faut conclure... Le régime de l'hypoglycémique riche en protéines et pauvre en hydrates de carbone ne peut, pour les raisons extrêmement sérieuses nommées ci-haut, être poursuivi impunément pendant longtemps. Un chercheur de notre époque, le docteur Abram Hoffer a découvert cliniquement les mauvais résultats de ce régime pour l'hypoglycémie et il l'a résolument laissé tomber. Ayant remarqué que de nombreux patients devenaient allergiques à l'excès de protéines animales (bœuf, lait, fromage) que ce régime impose, il a résolu de ne plus mettre l'emphase sur la consommation des protéines mais sur l'exclusion de tous produits frelatés. Le docteur Abram Hoffer s'exprime ainsi: «Je ne mets plus d'emphase particulière sur le régime Seale Harris. Mes opinions au sujet de l'efficacité de ce régime ont changé depuis que j'ai trouvé un bon nombre de personnes qui, alors qu'elles suivaient le régime Seale Harris, devenaient allergiques aux protéines qu'il impose. Je conseille maintenant de ne pas augmenter la consommation de protéines ni de faire de fréquents repas, mais tout simplement de mettre de côté *tous* les aliments raffinés[54].»

Relisez cette dernière phrase. Relisez là jusqu'à ce qu'elle soit bien imprimée dans votre cerveau: Vous venez de lire ce qu'est le régime moderne de l'hypoglycémique. Rappelez-vous que l'hypoglycémie est une maladie de civilisation, c'est le résultat de mauvaises habitudes alimentaires, c'est le prix d'une insulte répétée au fonctionnement de notre corps, c'est le résultat de l'ignorance et du mépris des besoins de notre être, c'est la conséquence de l'abus, de la suralimentation, de l'excès, c'est l'amertume du fruit défendu, de ce que l'on n'aurait jamais dû toucher. Vivre pour manger, c'est toujours manger pour mourir, c'est avoir son ventre pour son dieu et lui sacrifier sa vigueur, son endurance, sa force, la clarté de son esprit, sa dignité, son utilité, sa beauté, sa longévité. Mais si vous comprenez qu'il faut manger pour vivre, c'est-à-dire pour fournir un travail utile, efficace et noble, alors vous rechercherez et vous vous attacherez avec bonheur à une alimentation composée uniquement de végétaux tirés directement du sol et consommés sans addition ni soustraction.

On ne répare pas les dégats causés par une alimentation excessive et déséquilibrée par une autre alimentation, elle aussi excessive et déséquilibrée mais plutôt par un retour radical aux aliments que Dieu a créés pour être pris tels qu'il nous les donne: les céréales, les graines, les fruits, les légumes, les noix et les fèves. Ces végétaux, selon les tolérances et les options individuelles peuvent être accompagnés d'œufs, de lait, de viande ou de poisson d'une qualité parfaite et en quantité modérée.

Il faut bien le comprendre, l'hypoglycémie est un désordre pour lequel il n'y a pas d'opération, de médicaments ou de vitamines miraculeux. Il remet directement en question la totalité de votre style de vie. Il exige pour son contrôle, votre entière collaboration et dépend pour sa maîtrise, de votre bonne volonté. L'hypoglycémie peut vous enchaîner physiquement, moralement et intellectuellement, mais elle peut aussi vous libérer totalement.

Pour vous aider à faire ce magnifique choix d'un régime sain et véritablement adapté à vos besoins, voici encore quelques détails, quelques précisions, quelques conseils, quelques encouragements.

I. Dans l'optique d'un tel régime, *les desserts, les bonbons, les friandises, les sucreries* qu'ils soient à base de sucre, de miel, de sirop d'érable, de fructose, ou d'un quelconque produit sucrant naturel, raffiné ou synthétique doivent être résolument mis de côté. Videz vos armoires sans remords et décidez: « Je n'en mangerai pas, je n'en mangerai plus. » Maintenant jouissez d'une extraordinaire économie de temps, d'argent et de force pour le restant de vos jours. Et si l'eau vous monte à la bouche à la vue ou à la pensée d'une pâtisserie quelconque, sans apitoiement sur vous-même, réalisez que le sucre a le même visage que les drogues: il ne répond pas à nos besoins nutritionnels; il entraîne des carences précises et dangereuses; il cause une dépendance physique et psychologique (n'êtes-vous pas en train de le réaliser?); il ne peut que satisfaire temporairement un plaisir sensuel dont l'arrière-goût immédiat est l'amertume (relisez les symptômes de l'hypoglycémie et rêvez à une vie sans eux.)

II. *Le café, le thé, les colas,* boissons qui contiennent du sucre *et* de la caféine ainsi que le *tabac* doivent être eux aussi virilement délaissés. Ces produits ne sont pas des aliments mais des drogues et ils déséquilibrent aussi efficacement le mécanisme régulateur du glucose que le sucre, en épuisant les surrénales. Il existe une hypoglycémie dite «tabagique» qui ne cède qu'à l'abandon de ce produit pour se déclencher immédiatement à son contact direct ou indirect[55] (on peut fumer par personne interposée dans les bureaux, les maisons, les hôpitaux, les écoles, les magasins, etc...) Le rôle du tabac dans l'hypoglycémie est ainsi compris: lorsqu'une personne fume, le corps cherche à élever le taux du glucose sanguin afin de la protéger contre l'effet empoisonnant de la nicotine. Le fumeur se sent mieux, moins tendu, plus apte à se concentrer. Mais bientôt toutes les réserves du glucose du foie et des muscles sont draînées dans cet effort pour élever le glucose. Les surrénales épuisées n'arrivent pas à élever le taux de glucose sanguin. Il s'abaisse. Le fumeur est nerveux, étourdi. Sa vue est brouillée. La conduite automobile, dans ces conditions, est dangereuse. Sa concentration mentale est difficile. La cigarette la plus dangereuse pour le fumeur, est celle qu'il prend avant le petit déjeuner, alors que son taux de glucose est déjà bas après le jeûne de la nuit. Sa tête tourne, il titube, il a les idées confuses et une fatigue de plomb. Il est extrêmement irritable. Il se met à boire plusieurs tasses de café avec beaucoup de sucre. Il se sent mieux. Il se détend un peu, mais bientôt il ressent un creux au niveau de l'estomac. Ce sentiment devient persistant et se transforme en une excitation désordonnée, de l'irritabilité et un épuisement pénible. La matinée progresse dans ces conditions et peu avant midi, le fumeur hypoglycémique, buveur de café et mangeur de sucre est sur le bord de l'invalidité physique et mentale. Il ne peut plus penser ni réfléchir. Il ne supporte pas la sonnerie du téléphone, le bruit des machines. Si le repas est légèrement retardé, il peut s'effondrer de faim. Il tremble. Il a froid. Son regard est fixe, hagard. Lorsqu'il mange, enfin, c'est pour se bourrer car il a une faim dévorante et douloureuse. Il sort de table et se sent mieux pendant quelques heures. Mais vers le milieu de l'après-midi, malgré les nombreux cafés et cigarettes, il traîne à nouveau la patte. Il se sent gonflé, figé, faible et sans entrain. Le découragement et le dégoût l'envahissent. Il n'a presque rien fait de toute la journée et il est tellement fatigué qu'il faut qu'il s'arrache à son siège où il semble cloué. Il arrive à la maison, l'esprit abattu, les nerfs à vif. Il se sent gonflé. Il se met à rouspéter, crier et rugir tout autour de la maison. Au souper, il mange beaucoup, il mange trop, pensant qu'il va secouer son engourdissement. Il se met à somnoler, a l'impression qu'une grippe va se déclarer et il a à peine la force de se traîner dans un fauteuil où il passe la soirée, à fumer et boire (et grossir), devant la télévision, dans une stupeur léthargique. La nuit ne le soulage pas et il commence une nouvelle journée plus fatigué que lorsqu'il s'est couché[56]. Ah! l'abject esclavage, l'impitoyable tyrannie, l'infernale réalité de la drogue. Écoutez les soupirs de votre cœur qui n'en peut plus. Ce n'est pas possible que ce soit ça, vivre... Ne voulez-vous pas être libre? Coupez, mais coupez donc ces chaînes et ne craignez pas la tempête ni l'orage des premiers jours de liberté. Cramponnez-vous. Dans peu de temps, le soleil se lèvera et vous sourirez enfin d'un sourire de paix.

III. La seule boisson que Dieu a donné à l'homme, les bêtes et le sol est *l'eau*. Ce liquide est une substance indispensable à la vie, il participe à toutes ses activités. Une carence en eau prive le sang et les tissus de leur contenu hydrique et entrave leurs processus normaux. Il peut s'en suivre un abaissement de la pression sanguine, des maux de tête, des malaises, de la constipation. L'élimination des déchets par les reins, les poumons et les pores de la peau est entravée. Les toxines sont refoulées jusqu'aux cellules et le corps entier devient un milieu stagnant. L'apport quotidien et régulier en eau est un devoir indispensable que l'hypoglycémique remplit rarement. Il n'a pas soif. Pourtant un des deux meilleurs antidotes des symptômes hypoglycémiques lorsqu'ils surviennent entre les repas est la consommation abondante d'eau fraîche et pure. C'est également le meilleur moyen de combattre le goût de fumer ou de prendre du café. Il faut se rappeler que le corps perd naturellement 2 à 4 litres d'eau quotidiennement et il faut qu'ils soient remplacés. En plus du liquide consommé dans la nourriture, il faut un minimum de six grands verres d'eau douce bus en dehors des repas. Les jus de fruits et de légumes si on y tient, doivent être absolument purs, sans sucre ajouté ni additifs et pris avec beaucoup de modération, coupés de moitié d'eau. Ce sont des aliments concentrés et raffinés (la pulpe riche en nutriments et en fibres est rejetée) et ils peuvent surcharger le corps de glucose. Il faut se méfier particulièrement du jus de carotte car la carotte est un légume riche en sucre naturel. Comprenons-le, nous devons apprendre à manger nos aliments tels que la nature nous les donne. Nous avons été créé pour *manger* des végétaux et pour *boire* de l'eau. Il est indispensable, si l'on veut bien digérer et retirer le maximum de valeur nutritive de ce que l'on mange, de mastiquer soigneusement les aliments et d'insaliver correctement les liquides. L'application dans ce domaine est une source de grande bénédiction pour la santé de l'hypoglycémique, car mastiquer est une forme de contrôle conscient du taux de glucose sanguin. De peur que vous ne fassiez fausse route, l'habitude de mâcher de la gomme (chewing gum) est nocive, d'abord parce que ce produit ne pousse pas sur les arbres et ensuite parce qu'il empêche une digestion normale des hydrates de carbone en diluant la salive qui ne peut plus amorcer leur prédigestion buccale sous l'influence de la ptyaline. Cette habitude est une cause fréquente d'acidité dans l'estomac[57].

Le régime de l'hypoglycémique riche en protéines animales insiste sur la consommation fréquente et répétée de petits repas entre les repas. Cette recommandation est encore une mesure qui contrecarre certains symptômes mais entraîne d'autres graves troubles. L'hypoglycémique qui suit cette recommandation se voit bientôt obligé de manger toutes les 2 heures le jour et la nuit pour contrôler ses symptômes qui s'amplifient au fur et à mesure qu'il multiplie les repas. Une connaissance de la physiologie de la digestion nous indique immédiatement qu'une telle pratique est une cause d'indigestion chronique. Une plainte courante de ceux qui mangent souvent est qu'ils ne digèrent pas. Ils sont gonflés et se sentent languissants. Cependant au lieu de sauter un repas, au moindre sentiment de tiraillement dans l'estomac, ils se remettent à manger... Rappelons-nous la déclaration du Dr Hoffer: «Je ne conseille pas de faire de repas fréquents.» On oublie que l'estomac est un muscle et qu'il faut environ

4 à 5 heures pour digérer un repas normal. Ce travail énorme exige que cet organe prenne un repos raisonnable avant de reprendre son activité. Seul un estomac reposé peut sécréter suffisamment de suc gastrique pour s'occuper efficacement de son contenu. Le repos est une loi absolue de notre corps que l'on ne peut négliger impunément. Nous devons dormir un tiers de chaque jour; nous devons faire relâche chaque septième jour de la semaine; notre cœur se repose entre chaque battement, nos poumons entre chaque respiration et notre estomac doit le faire entre chaque repas.

Le mépris de cette exigence de notre corps entraîne un vidage trop lent de l'estomac et comme nous l'avons déjà dit, ceci est une cause réelle d'hypoglycémie et d'un de ses symptômes les plus courants: la faim dévorante, car le sang n'arrive pas à obtenir à temps le glucose dont il a besoin. La faim est l'expression d'une famine au niveau des cellules et non de l'estomac en soi. Bientôt l'hypoglycémique se croit obligé de multiplier les repas.

Il est donc de toute première importance dans la correction de l'hypoglycémie de préserver ou de retrouver la santé de l'estomac. Cela peut se faire: a) en espaçant systématiquement les repas de cinq heures. J'emploie volontairement le mot systématiquement car l'estomac aime une parfaite régularité et il s'habitue à un horaire fixe. L'hypoglycémique tout particulièrement, a besoin de vivre selon un horaire rigoureux des repas, de l'exercice et du repos. Notre corps est une montre au mécanisme précis et régulier. Les écarts, les imprévus, le désorientent et lui imposent des stress douloureux et ruineux. L'hypoglycémique éprouve beaucoup de satisfaction dans le cadre d'une vie «rangée» et c'est là aussi qu'il donne son meilleur rendement. La sécurité et la stabilité sont d'excellents alliés qu'il doit conserver ou rechercher à tout prix; b) en ne mangeant absolument rien entre les repas. Plusieurs études ont prouvé que le fait de manger, ne serait-ce qu'un bonbon entre les repas, entraîne la fermentation du bol alimentaire et retarde terriblement la digestion. Par exemple, on a donné à quatre infirmières un repas régulier composé d'une céréale avec de la crème, de pain et de beurre, d'un fruit cuit, d'un œuf et d'un verre de lait barité afin de pouvoir prendre des rayons-X.

Au bout de quatre heures chaque infirmière avait l'estomac vide. Un autre jour, les mêmes infirmières prirent le même repas mais mangèrent deux heures plus tard une collation:

La première infirmière prit un cornet de crème glacée: six heures plus tard son estomac travaillait encore.

La deuxième infirmière prit un sandwich au beurre d'arachide: neuf heures plus tard, son repas était encore dans son estomac.

La troisième infirmière prit un morceau de tarte à la citrouille et un verre de lait: neuf heures plus tard son estomac était encore à l'œuvre.

La quatrième infirmière mangea une banane: huit heures plus tard, il y avait encore une partie du repas dans son estomac[58].

Au cours d'une autre étude, on a donné à une infirmière en bonne santé un déjeuner normal à 7h30 du matin. On y avait ajouté du barium afin de pouvoir prendre des rayons-X. On lui donna aussi quatre bonbons fondants au cours de la journée: un à 9 heures, un à 11 heures, un à 14 heures et un à 16 heures. Elle prit un repas régulier à midi et elle soupa à six heures. Les rayons-X démontrèrent que le petit déjeuner 9 heures et 13 heures et demie plus tard était encore dans son estomac. La veille, le même déjeuner avait été complètement digéré en quatre heures[59].

La conclusion ne peut pas être plus formelle: si l'on désire tirer de sa nourriture toute la force nécessaire, il ne faut absolument *rien* manger entre des repas espacés rigoureusement de cinq heures. Cette habitude sera peut-être difficile à acquérir au début, car manger dès le moindre malaise, la moindre envie ou le moindre ennui est devenu pour beaucoup un réflexe conditionné; mais si vous êtes vraiment fatigué de souffrir et de traîner une existence pénible, remplacez dès maintenant toute collation et toute envie de manger par un grand verre d'eau bu à toutes petites gorgées tout en respirant profondément devant une fenêtre ouverte. Votre corps a beaucoup plus besoin d'air et d'eau que de nourriture. Si vous le traitez avec bienveillance il saura vous le rendre au centuple.

Le régime moderne de l'hypoglycémique conseille ainsi de prendre trois repas par jour (composés strictement d'aliments non raffinés et non concentrés) au maximum, chaque repas étant espacé de cinq heures.

Le repas le plus important de la journée est *celui du matin.* Disons ici, que l'hypoglycémie peut être le résultat non seulement de ce que nous mangeons mais aussi de *la manière* dont nous le mangeons[59]. L'habitude généralisée tant chez les petits enfants que chez les adultes, d'aller à l'école ou au bureau sans manger est excessivement dangeureuse et contradictoire. Si l'on mange pour fournir un travail, il semble logique de manger avant que le travail commence, donc le matin et non lorsqu'il est fini, c'est-à-dire le soir. Physiologiquement, c'est le matin que le taux de glucose est le plus bas, et c'est aussi le matin que l'estomac est le plus vide et donc le plus capable de digérer correctement une plus grande quantité de nourriture. Le moyen le plus sûr de contrôler son poids, et son caractère, est de faire un solide petit déjeuner. La nourriture mangée tôt le matin est digérée et absorbée pendant les heures les plus actives de la journée. Le corps retire de ce repas la plus grande valeur nutritive. Au contraire, la nourriture prise le soir est digérée et absorbée alors que le corps n'en a pas besoin et qu'il ne la dépense pas. Cette nourriture se transforme facilement en graisses et elle est une cause courante d'insomnie, de maux de tête, de mauvaise haleine et d'humeur massacrante le matin. Le petit déjeuner dans le cadre du régime rationnel de l'hypoglycémique est un repas complet et abondant. Rappelez-vous les petits déjeuners de vos ancêtres infatigables, optimistes et détendus: crêpes, fèves, pain, pommes de terre, œufs, gruau. Ils se réveillaient les narines chatouillées par l'odeur alléchante d'un véritable repas. Un café et deux rôties avec de la confiture ne peuvent pas fournir au corps et à l'esprit suffisamment de glucose pour leur permettre de vivre en harmonie et de travailler efficacement. L'écolier, l'étudiant, l'ouvrier, le professionnel, la femme d'intérieur, la femme de carrière ne peuvent fournir l'attention, le rendement et le travail nécessaires sans un petit déjeuner adéquat.

Cette exigence du régime moderne de l'hypoglycémique va peut-être vous obliger à changer une fois de plus vos habitudes. N'hésitez pas cependant. Être capable d'efforts soutenus, de concentration prolongée, retrouver un poid normal, ne plus être fatigué, ne plus avoir envie de tout casser ou de tout lâcher, ça ne vous tente pas? Levez-vous plus tôt; composez votre repas et commencez à l'apprêter la veille; mettez la table avant de vous coucher. Vous y arriverez si vous le désirez.

Cinq heures plus tard, entre midi et deux heures, vous êtes prêt pour votre deuxième gros repas de la journée. Il y a encore devant vous une demie journée de travail. Prenez le temps de vous asseoir, de vous détendre. Savourez vos aliments avec actions de grâces car vous êtes en train d'exercer un ministère de bienveillance envers votre bien le plus précieux, votre corps dans lequel se trouve votre cerveau. Bien nourri tout au long de la matinée par un apport régulier et constant de glucose, vous n'avez pas une faim vorace mais un appétit aiguisé et vous pouvez commencer ce repas sans faire d'excès. Vous serez alors alerte et léger tout l'après-midi et votre rendement ne diminuera pas. La fin de votre journée d'ouvrage vous trouvera content, normalement fatigué mais sans lassitude extrême, ni épuisement. Votre consommation d'eau et d'oxygène vous aura gardé gai et détendu, et c'est satisfait de vous-même et fier du travail accompli, que vous rentrerez chez vous. Vous avez donné huit heures à la société, il vous reste maintenant quatre heures avant de vous coucher et ces heures précieuses sont à vous et à votre famille. Rafraîchissez-vous par une bonne douche, changez de vêtements (ils sentent probablement le tabac) puis asseyez-vous à table devant un repas léger. Vous avez fini de travailler. Si vous ne voulez pas grossir, ce n'est pas le moment de surcharger votre estomac. Prenez un ou deux fruits ou une salade verte, du pain séché, quelques amandes. Il est toujours préférable de ne faire que deux repas par jour: celui du matin et celui du midi. Vous ne serez d'accord avec moi que lorsque vous l'aurez essayé pendant quinze jours. Si cette idée vous surprend, sachez que vous aussi probablement ne faites, depuis des années, que deux repas par jour: vous mangez le midi et le soir et vous sautez le petit déjeuner. Maintenant que vous avez compris les besoins de votre corps, inversez vos repas. Sautez le repas du soir et mangez le matin et le midi. Vous aurez là le plus extraordinaire secret de la santé, de la beauté et de la longévité qui soit. Si vous tenez au repas du soir, gardez-le petit et prenez-le suffisamment tôt, tout en respectant l'espacement de 5 heures, afin qu'il soit digéré avant le coucher. L'estomac a lui aussi besoin de dormir huit heures par jour. Un estomac au repos permet un sommeil profond, calme, réparateur, exempt de cauchemars et d'angoisses et un réveil plein du goût de vivre.

Un repas léger le soir vous permettra d'utiliser ces heures précieuses à une activité utile et agréable: étude, exercice, sport, jardinage. Au cours de la soirée, buvez de l'eau et restez le plus possible au grand air. Couchez-vous tôt dans une chambre bien aérée. L'habitude de dormir la fenêtre plus ou moins ouverte selon la saison, est excellente et accomplit à merveille le vieux proverbe: «Qui dort dîne».

---

1. Fredericks Carlton, *Low Blood Sugar and You,* p. 68.
2. Nittler Alan H., *A New Breed of Doctor,* p. 61.
3. Hurdle Frank J., *Low Blood Sugar: A Doctor's Guide to its Effective Control.*
4. Brennan R.O., *Nutrigenetics,* p. 83-107.
5. Fredericks Carlton, *Low Blood Sugar and You,* p. 71.
6. Abrahamson E.M. et Pezet A.W., *Body, Mind and Sugar,* p. 28.
7. Airola Paavo, *Hypoglycemia: A Better Approach,* p. 72.
8. Hegsted D.M.: *Priorities in Nutrition in the United States,* J. Am. Diet. Assoc. 71: 9-12, 1977.
9. Scharffenberg John A., *Problems with Meat,* Woodbridge Press, 1979.
10. Ibid. p. 31-34.
11. Shimkin M.B. ed.: *CA-A Cancer Journal for Clinicians* 24: No 3, 189, 1974.
12. Scharffenberg John A., *Problems with Meat,* p. 61.
13. Ibid. p. 36.
14. Krohn PL: *Rapid Growth, Short Life,* J.A.M.A. 171: 461, 1959.
15. Scharffenberg John A., *Problems with Meat,* p. 53.
16. Ibid. p. 57-59.
17. Ibid. p. 55; 59-60.
18. *Nutrition and Mental Health, Hearing before the Select Committee on Nutrition and Human Needs of the United States Senate,* 1980 Update, p. 190.
19. Abrahamson E.M. et Pezet A.W., *Body, Mind and Sugar,* p. 66.
20. Scharffenberg John A., *Problems with Meat,* p. 17-30.
21. Editor: *Diet and Stress in Vascular Disease, J.A.M.A. 176:* 134-135, 1961.
22. Abrahamson E.M. et Pezet A.W., *Body, Mind and Sugar,* p. 28-29.
23. Scharffenberg John A., *Problems with Meat,* p. 11.
24. Ibid. p. 77-84.
25. Astrand P.: *Something old and something new. Nutrition Today 3:* No 2, 9-11, 1968.
26. Starenkyj Danièle, *Le bonheur du végétarisme,* p. 160-161.
27. Scharffenberg John A., *Problems with Meat,* p. 80-82.
28. Committee on Food and Nutrition, American Diabetes Association: *Principles of Nutrition and dietary recommandations for patients with diabetus mellitus:* 1971. Diabetes 20: 633-634, 1971.
29. Friedman G.J.: *Diet in the treatment of diabetus mellitus.* Dans Goodhart R.S. et Shils ME: *Modern Nutrition in Health and Disease,* Lea and Febiger, 1973, p. 846-847.
30. Scharffenberg John A., *Problems with Meat,* p. 82.
31. Ibid. p. 82.
32. Ibid. p. 82-84.
33. Ibid. p. 83.
34. Starenkyj Danièle, *Le Bonheur du végétarisme,* p. 331-334.
35. Idem. p. 29, 37-43.
36. Scharffenberg John A., *Problems with Meat* p. 13, 84.
37. Ibid. p. 13.
38. *A Physician's Handbook on Orthomolecular Nutrition,* Pergamon Press, 1977, p. 156.

---

39. Ibid. p. 18.
40. Ibid.
41. Schwantes Dave, *The Unsweetened Truth About Sugar and Sugar Substitutes,* p. 19.
42. Brennan R.O., *Nutrigenetics* p. 44-45.
43. Shrœder Henry A., *Trace Elements and Man,* The Dewin-Adair Company Publishers, Connecticut.
44. Krause Marie V. et Hunscher Martha A., *Nutrition et diétothérapie,* Éditions HRW Ltée, Montréal, 1978.
45. *A Physician's Handbook on Orthomolecular Medecine,* p. 27.
46. Ibid. p. 18.
47. Ibid. p. 26.
48. Ibid. p. 27.
49. Ibid. p. 29.
50. Ibid. p. 24.
51. Ibid. p. 27.
52. Ibid. p. 28.
53. Krause Marie V. et Hunscher Martha A., *Nutrition et diétothérapie,* p. 35, 37, 39-40.
54. Hoffer Abram, *Orthomolecular Nutrition,* p. 85.
55. Fredericks Carlton, *Low Blood Sugar and You,* p. 136.
56. Hurdle Frank J., *Low Blood Sugar: A Doctor's Guide to its Effective Control.*
57. White Julius, *Abundant Health,* Health and Character Education Institute, Georgia, 1951, p. 105-106.
58. Ibid. p. 99.
59. Ibid. p. 100.
60. Cheraskin E. et Ringsdorf W.M., *Psychodietetics,* p. 74.

5

La supernutrition

En 1968, Linus Pauling, prix Nobel de chimie et prix Nobel de la paix écrivait un article dans la revue *Science* intitulé «La psychiatrie orthomoléculaire». Il devait révolutionner la psychiatrie et la médecine en général. Il frappa de nombreux esprits et ouvrit un horizon totalement neuf à des centaines de médecins et aux milliers de patients heureux d'être sous leurs soins. Le mot orthomoléculaire est un hybride grec-latin qui signifie «la bonne molécule» ou encore «la molécule adéquate» et qui veut exprimer l'idée que «le traitement de la maladie mentale [se fait] en procurant à l'esprit l'environnement moléculaire optimal, notamment en lui procurant les concentrations optimales des substances normalement présentes dans le corps humain. Le cerveau fournit l'environnement moléculaire de l'esprit. L'esprit est un synonyme pratique pour le fonctionnement du cerveau[1].»

Bientôt, enthousiasmée par les résultats étonnants d'une telle approche de la maladie mentale, on vit se lever une nouvelle génération d'hommes de science qui, au lieu d'ignorer que le malade mental a un *corps* qui est le siège de sa maladie ou de s'occuper uniquement de la dose quotidienne minimale des nutriments, fixèrent leur attention sur l'environnement moléculaire optimal dont chacune des cellules de notre corps a besoin pour avoir une santé florissante et pour résister à la maladie.

Rapidement ces médecins «orthomoléculaires» se transformèrent en nutritionnistes avertis dont le souci premier devint la découverte des désordres du métabolisme chez leurs patients et dont la grande arme fut ce qu'on nomma la «mégavitaminothérapie», c'est-à-dire l'usage de vitamines (et de certains minéraux) en doses plus élevées que celles prescrites traditionnellement, ou encore en «mégadoses». Malheureusement le terme «méga» qui signifie grand, énorme, fort, effraie et invite les attaques de ceux qui ignorent une nutrition clinique. Un terme plus juste qui indiquerait beaucoup mieux la raison et le but de l'emploi de ces vitamines en doses optimales serait «optidose». Abram Hoffer, un pionnier canadien de la psychiatrie orthomoléculaire à qui l'on doit la découverte de l'usage thérapeutique de la niacine dans le traitement de la schizophrénie[2,3] fait la réflexion suivante: «Personne ne peut refuser la santé optimale que ces vitamines en doses optimales susciteraient (...) Les psychiatres traditionnels ont déjà accepté la «mégalithiumthérapie». Mes collègues en psychiatrie orthodoxe ne sont absolument pas inquiets d'utiliser cette thérapie à base de mégadoses de lithium tout simplement parce que personne n'a eu l'idée d'appeler cette thérapie une «mégalithiumthérapie». Et pourtant, c'est un fait. Car la différence entre les quantités utilisées en traitement et l'apport normal d'une alimentation courante qui est seulement de 2 mg par jour, est aussi frappante pour le lithium que pour les vitamines[4].»

Le dépistage et le traitement de l'hypoglycémie, un important désordre du métabolisme, devinrent également la spécialité des médecins orthomoléculaires qui apprirent à corriger ce problème par un régime adéquat, le jeûne court (Nittler[5], Messenger[6], Cott[7]) et les suppléments en doses optimales.

Il est bon ici de se rappeler que l'hypoglycémie est le résultat des désordres souvent combinés du foie, du pancréas et des surrénales. Les suppléments alimentaires visent à corriger les faiblesses de ces organes, à combler les carences établies par de longues années d'une alimentation défectueuse et à fortifier contre le stress.

Des études approfondies ont permis à ces médecins de connaître les effets immédiats et subtils d'une carence vitaminique ou minérale quelconque et de découvrir le rôle particulier que ces carences jouent dans le déséquilibre des mécanismes régulateurs du taux de glucose sanguin.

Les observations sont nombreuses et chaque médecin a ses convictions personnelles face à la nécessité de l'usage de suppléments ou de compléments alimentaires. De toute façon, ce n'est qu'après une étude approfondie du cas de son patient et le dépistage de ses carences alimentaires, qu'un médecin sérieux lui indiquera les suppléments (vitamines, minéraux, aliments spéciaux) qu'il juge nécessaires. Le médecin consciencieux est bien imbibé de la notion indispensable de l'individualité absolue de chacun de ses patients. Il n'a jamais un traitement passe-partout mais il cherche à cerner ses besoins réels et à les corriger en l'éduquant à s'alimenter correctement.

Dans le cadre d'une alimentation qui n'est pas adéquate et qui dans l'immédiat ne le deviendra pas, la prescription de suppléments offre un palliatif dont il peut être difficile de se passer. C'est face à une réalité épineuse et délicate à contourner, à savoir que les gens mangent et vivent mal, que les médecins prescrivent couramment des suppléments alimentaires aux femmes enceintes et aux nourrissons (fer, acide folique, calcium, fluor) et que les gouvernements exigent la fortification de quelques aliments courants: lait et margarine (vitamines A et D), eau (fluor), pain et farine (vitamines B_1, B_2, B_3, fer), jus (vitamine C). C'est dans cette optique que certains médecins, tout en insistant sur l'obligation pour l'hypoglycémique de changer radicalement ses habitudes alimentaires, lui indiquent aussi l'usage de compléments alimentaires. L'hypoglycémique épuisé par des années d'excès et de carences a besoin d'un soulagement rapide de ses misères.

Le premier supplément conseillé à l'hypoglycémique est en général *la levure alimentaire dite de bière*[8]. En fait, elle est considérée par de nombreux praticiens comme indispensable. C'est une excellente source de protéines et une très riche source du complexe vitaminique B. Le complexe-B joue un rôle important dans les processus métaboliques de toutes les cellules vivantes. Il est impliqué dans l'oxydation des aliments et dans la production d'énergie. Il est si important qu'il accompagne naturellement et abondamment une très grande variété d'aliments entiers (germes des céréales, légumineuses, noix, graines). La digestion adéquate et optimale des hydrates de carbone dépend de la présence quotidienne des vitamines B. Ces vitamines soutiennent aussi le fonctionnement correct du foie et des surrénales, organes directement impliqués dans le métabolisme du glucose.

La levure est un aliment antistress notoire grâce à la présence adéquate de thiamine, de pyridoxine, de vitamine B_{12} et d'acide pantothénique. C'est aussi une source inégalée de minéraux et de micronutriments spécifiquement impliqués dans le métabolisme du glucose et qui amènent le soulagement de l'hypoglycémie: *le sélénium,* un anti-oxydant qui se combine à l'action de la vitamine E pour empêcher les dommages cellulaires[9]; *le zinc,* qui associé à l'hormone insuline a la capacité de retenir celle-ci dans le pancréas jusqu'à ce que l'organisme en ait besoin et qui est également nécessaire au métabolisme des hydrates de carbone[10]; *le chrome* qui contient un facteur de tolérance au glucose (FTG) qui est nécessaire à une bonne utilisation du glucose dans les céréales et les pommes de terre. En l'absence de chrome, l'insuline est moins efficace, ce qui provoque des difficultés à tolérer une quantité normale de glucose[11]. La carence en chrome est une cause d'hypoglycémie[12].

La levure a un seul défaut: son goût amer qu'il faut vraiment acquérir. On la recommande à la dose de une à deux cuillères à soupe avant chaque repas, dans de l'eau chaude assaisonnée, si on le désire, d'un peu de poudre d'oignon ou dans des jus de tomates, de légumes ou d'orange. Parce que la levure alimentaire est riche en phosphore et pauvre en calcium et en magnésium, il est nécessaire, pour s'assurer un bon équilibre minéral de prendre avec chaque cuillerée à soupe un comprimé de calcium et un comprimé de magnésium[13].

Faites bien attention de ne pas confondre la levure alimentaire avec la levure à pain dite active. La levure à pain mangée crue se multiplie dans les intestins et consomme pour elle-même les réserves de vitamines B du corps. C'est ici la raison pour laquelle un pain à la levure active doit être très bien cuit et consommé si possible, seulement deux à trois jours après la cuisson alors que toutes les substances volatiles du processus de la fermentation sont complètement évaporées. Il est bon pour cela de le laisser à l'air libre dans une corbeille en osier recouverte d'un linge propre plutôt que de le mettre immédiatement dans un sac en plastique au réfrigérateur.

Les praticiens orthomoléculaires recommandent également les vitamines et les minéraux suivants:

La vitamine C (acide ascorbique)

Les docteurs Cheraskin, Ringsdorf et Clark ont rapporté qu'il y avait une relation importante entre la vitamine C et le métabolisme des hydrates de carbone. Plus un individu est carencé en vitamine C moins il est capable maintenir un taux de glucose sanguin adéquat. La vitamine C est un agent puissant de détoxication* des drogues, des produits toxiques et des polluants de notre environnement. C'est pour cette raison que fumer entraîne une perte énorme en vitamine C. Le docteur E.J. McCormick affirme que la nicotine détruit la vitamine C au rythme de 25 mg par cigarette[15]. On a également découvert[16] qu'un déficit en vitamine C conduisait rapidement à des troubles de la fabrication des hormones cortico-surrénales puis à une insuffisance surrénalienne qui automatiquement causait des troubles du mécanisme du taux de glucose dans le sang. La vitamine C est aussi un agent important dans la lutte contre le stress et elle permet d'y faire face beaucoup plus facilement et avec un minimum de dommage. On sait également qu'elle stimule le développement des bactéries intestinales capables de

---

* Pour un exposé complet sur la détoxication voir du même auteur le livre: *Mon «petit» docteur*, Orion, 1985.

produire la vitamine B_1, la vitamine de la détente nerveuse.[17]

Il est important de savoir que la vitamine C, sous forme d'acide ascorbique en poudre sèche est stable, mais en solution, elle s'oxyde rapidement surtout si elle est exposée à la chaleur. L'exposition à l'air de fruits et de légumes coupés entraîne de grandes pertes ainsi que la présence, au cours de la cuisson, de bicarbonate de soude et de cuivre. Un milieu de cuisson acide (un filet de jus de citron est ajouté à l'eau de cuisson) aide à la conservation de la vitamine C[18]. La vitamine C est la vitamine de la fraîcheur et de la crudité. L'aliment entreposé et/ou cuit n'est plus une source adéquate de vitamine C. Veillez, si c'est le cas, à ne prendre que des comprimés de vitamine C sans sucre ni fructose ajoutés.

La vitamine B_6 ou pyridoxine

Elle joue un rôle essentiel dans le métabolisme des protéines et son besoin par l'organisme est directement proportionnel à la quantité de protéines ingérées. L'excès de protéines entraîne une carence spécifique en pyridoxine. Cette vitamine facilite la libération du glycogène du foie et des muscles sous forme de glucose. Elle joue donc un rôle important dans le contrôle du glucose sanguin. Cette vitamine est très instable à la lumière. L'usage de la pilule anticonceptionnelle entraîne une carence importante en B_6. Les symptômes d'une déficience sont: la dépression, des lésions sur la peau, l'anémie, des convulsions, une nervosité extrême, de la faiblesse, de la léthargie, les nausées, les vomissements et les maux de tête de la grossesse, les boutons et l'œdème prémenstruels[19].

L'acide pantothénique

Il est essentiel au métabolisme des hydrates de carbone. Il stimule les surrénales et augmente la production de leurs hormones. C'est un facteur anti-stress important dont la carence peut entraîner un abaissement du glucose sanguin ainsi que de la basse pression. La déficience en acide pantothénique est définitivement associée à une chute rapide du glucose sanguin dans les courbes d'hyperglycémie provoquée[20].

La vitamine E (sous forme de tocophérols d-alpha).

L'utilité de la vitamine E pour soulager les chaleurs de la ménopause, la sècheresse vaginale, la sensibilité prémenstruelle des seins, les impatiences dans les jambes, pour prévenir les fausses couches, corriger la stérilité et l'aménorrhée (absence de règles) est bien connue dans les milieux nutritionnistes. On connaît aussi de mieux en mieux son rôle d'antioxydant. La vitamine E s'unit à l'oxygène pour empêcher d'autres nutriments d'être détruits ou modifiés par leur exposition à l'oxygène. Cet effet est particulièrement apprécié au niveau des huiles polyinsaturées qui en présence de la vitamine E ne rancissent pas et sont bien utilisées par le corps. La vitamine E aide aussi à l'utilisation maximale et à la préservation adéquate des vitamines C, A, B_{12}, de l'acide folique et de l'acide pantothénique. Dans le régime végétarien, la vitamine E peut être un appoint à la vitamine B_{12} car elle est capable de maximiser l'effet de la petite quantité de vitamine B_{12} obtenue dans les sources végétales[21]. Pour l'hypoglycémique, l'utilité de la vitamine E se trouve dans sa capacité de promouvoir un fonctionnement normal des muscles, du sang (elle s'unit aux globules rouges et préserve leur intégrité) et des cellules nerveuses (elle en améliore l'oxygénation). Cela est d'une importance capitale lorsque le taux du glucose sanguin est bas. Elle permet également de lutter contre le stress en conservant les hormones de l'hypophyse et des surrénales. De plus, c'est un agent puissant de détoxication. Elle permet ainsi de contrecarrer les effets secondaires de nombreux polluants et drogues (codéine, morphine) et de les éliminer rapidement hors du corps[22].

Les meilleures sources alimentaires de la vitamine E sont le germe de blé cru, les céréales complètes, la verdure vert foncé, le jaune d'œuf, le gras du lait. (La vitamine E est une vitamine liposoluble, c'est-à-dire absorbée avec les graisses[23].)

Le potassium (sous forme de chlorure de potassium)

Selon Adelle Davis[24], une chute de potassium entraîne automatiquement un abaissement du taux du glucose sanguin et un abaissement du taux du glucose sanguin entraîne une plus grande perte de potassium dans l'urine. Selon son expérience, les personnes qui souffrent d'une hypoglycémie qui se manifeste par de la fatigue, de l'irritabilité, des pensées confuses, de l'œdème aux mains et aux jambes et d'autres symptômes désagréables, lorsqu'elle reçoivent de 2 à 5 grammes de chlorure de potassium quotidiennement, voient leurs symptômes s'évanouir car le taux du glucose sanguin s'élève rapidement et reste stable.

La carence en potassium accompagne facilement un régime d'aliments raffinés, sucrés et cuits à l'eau. Selon le docteur Carl C. Pfeiffer, un régime riche en protéines entraîne également une carence en potassium. Par exemple, les régimes riches en protéines recommandés aux athlètes pendant leur entraînement peuvent causer une déficience potassique dont le signe est un haut degré de faiblesse musculaire et de fatigue en présence d'une bonne forme physique[25]. Le potassium est aussi perdu par la diarrhée, les vomissements, une consommation élevée de sel et d'alcool, la prise de médicaments tels que l'ACTH, la cortisone, les diurétiques, l'aspirine et par un usage prolongé des antibiotiques[26]. Le stress est également un facteur qui entraîne des pertes importantes en potassium[27]. C'est pourquoi le stress peut causer de l'apathie, de la fatigue, des douleurs causées par les gaz, de la constipation, de l'insomnie, de l'hypoglycémie, de la faiblesse musculaire, un pouls faible, lent et irrégulier qui sont des symptômes associés à une chute de potassium qui, lorsqu'elle est suffisamment grave peut causer de la haute pression, de la paralysie partielle et des crampes musculaires, une attaque de cœur, le coma[28]. On connaît bien l'association crise de cœur et niveau de potassium bas car cet élément joue un rôle important dans le contrôle de l'activité neuromusculaire[29]ainsi que dans l'accumulation du glycogène dans les muscles[30].

Un programme adéquat pour l'hypoglycémie doit donc mettre l'emphase sur l'abandon absolu de l'alcool, du café, du tabac, du sucre, de la farine blanche, sur la consommation abondante de fruits et de légumes très frais, la restriction du sel — car l'excès de sodium entraîne automatiquement une perte du potassium — et la régénération des glandes surrénales par une consommation optimale de vitamine C, de B_6, d'acide pantothénique, de zinc, de calcium, de magnésium et de tout le complexe-B[31]. Adelle Davis recommande également la prise quotidienne d'une cuillerée à thé de chlorure de potassium en poudre (environ 4 g) dissout dans de l'eau. Elle déconseille l'usage de comprimés[32]. Le potassium peut aussi être mélangé au sel de la salière dans des proportions allant jusqu'à 2/3 de chlorure de potassium pour 1/3 de sel marin[33].

Une personne souffrant d'hypoglycémie m'a raconté l'expérience suivante. Ayant passé le test d'hyperglycémie provoquée qui avait révélé une hypoglycémie grave, elle avait fidèlement suivi le régime courant de l'hypoglycémique. Elle mangeait toutes les deux heures et se vit bientôt constamment en train de grignoter pour combattre sa lassitude et sa faiblesse musculaire. Elle finit par ne plus avoir faim du tout et à avoir mal à l'estomac de tant manger. Elle se réveillait même la nuit pour grignoter un goûter placé sur sa table de nuit au coucher. Elle commençait à désespérer de ne jamais s'en sortir car elle vivait en plus des stress constants, répétés et inévitables. Un jour, elle découvrit la recommandation d'Adelle Davis au sujet du potassium. Elle acheta immédiatement 500 gr de chlorure de potassium en granules à la pharmacie et se fabriqua une eau-de-vie qui se révéla merveilleuse pour elle: Elle mit une cuillère à thé de chlorure de potassium dans un litre d'eau et au lieu de manger toutes les deux heures, elle se mit à boire un petit verre toutes les deux heures ou dès qu'elle ressentait un stress. Grâce à son eau-de-vie, elle réussit enfin à maîtriser des crises de bâillements qui la prenaient en plein jour et la gardaient occupée pendant des heures. Bientôt elle sentit que le cercle vicieux de l'hypoglycémie se brisait chez elle. Elle réussit enfin à ne faire que deux repas normaux par jour et un léger le soir et à connaître de longues périodes de calme et de paix intérieure.

Il serait cependant sage de ne pas prendre de chlorure de potassium sans l'avis de son médecin traitant qui, après avoir établi s'il y a carence ou non, surveillera étroitement cet apport médicamenteux oral. Ceci est particulièrement important en présence d'une insuffisance rénale ou d'une insuffisance cardiaque associée[34].

Les sources alimentaires les plus riches en potassium sont le jus de pruneaux, malheureusement mal toléré par l'hypoglycémique (200 mg par 100 g) et les pêches séchées (900 mg par 100 g) elles aussi mal tolérées par l'hypoglycémique. Les autres sources sont le jus de tomate (210 mg par 100 g), le jus d'orange *frais* (205 mg par 100 g) et le jus de pamplemousse (200 mg par 100 g), les fèves soja (400 mg par 100 g), les fèves rognon (300 mg), les carottes (250 mg), les lentilles (200 mg), les pommes de terre (200 mg), les bananes (200 mg), le germe de blé frais et cru (700 mg), la farine de soja (600 mg), le pain de blé entier (200 mg)[35].

Le manganèse

C'est un micro-nutriment essentiel car il joue un rôle important dans l'activation de nombreuses enzymes. Il permet l'utilisation correcte des protéines, des hydrates de carbone et des graisses[36]. Il est essentiel à la production laitière chez les femmes et il peut jouer un rôle important dans le développement de l'amour maternel et de l'instinct de protection envers son enfant. Le manque de manganèse affecte les organes de la reproduction. Les femelles en laboratoire carencées en manganèse ont une ovulation défectueuse et leur progéniture connaît un haut taux de mortalité périnatale. Les mâles connaissent une perte de la libido et un manque de sperme[37]. Le manganèse affecte aussi les glandes surrénales, le foie et le pancréas. Associé au zinc, le manganèse abaisse le taux de cuivre en l'éliminant dans l'urine. Le cuivre est un élément toxique qui affecte la santé mentale et physique de nombreuses personnes à notre époque. On connaît une relation étroite entre des taux élevés de cuivre et la schizophrénie[38], les difficultés d'apprentissage et de conduite chez les enfants, la sénilité, la dépression. Le manganèse est essentiel pour la formation de l'acétylcholine, un neurotransmetteur[39] dont la déficience est reliée à des désordres du métabolisme du glucose et à une perte grave de la force musculaire[40]. Il est essentiel pour le développement osseux et la modération de l'irritabilité nerveuse[41].

La toxicité du manganèse alimentaire ou en supplément est très faible[42]. Les seules intoxications connues proviennent d'accidents industriels par exposition à des poussières contenant du manganèse. On soupçonne par contre dans les milieux avertis, une carence de plus en plus généralisée en manganèse dans nos populations à la suite des méthodes de culture inappropriées: L'érosion, l'épuisement des sols ainsi que l'application de chaux réduisent grandement la quantité de manganèse disponible dans la plante[43]. La perspective, hélas, le terme n'est plus juste, la réalité des pluies acides et la nécessité d'alcaliniser les terres laissent entrevoir des carences massives en manganèse... — Selon la qualité du sol, les meilleures sources de manganèse sont les bleuets sauvages ou myrtilles, le son de blé (14 mg par 100 g), le son de riz ou polissures de riz (26 mg par 100 g), les légumineuses, les céréales entières, les noix, les fanes de betteraves, la laitue, l'ananas[44].

Phytothérapie

L'usage d'herbes pour soulager les maux variés d'une humanité souffrante est ancien et il s'est très souvent avéré efficace. Ces herbes simples et non toxiques étaient autrefois infusées et bues à l'occasion d'un désordre ou d'un malaise quelconque. L'apport supplémentaire en eau, probablement autant et peut-être plus que l'herbe elle-même, soulageait le corps de ses toxines en en forçant l'élimination par les reins. Aujourd'hui, alors que de nombreuses herbes sont concentrées et consommées sous forme de pilules ou de capsules, on peut craindre que cet effet bénéfique des tisanes soit perdu. Or l'hypoglycémique est généralement une personne qui souffre de déshydratation chronique. Il a besoin de boire beaucoup d'eau entre les repas.

La racine de réglisse (Glycyrrhisa Glabra) est une plante utile pour l'hypoglycémique épuisé qui ne supporte pas le stress car elle comporte des propriétés minéralo-corticoïdes[45], ces hormones sécrétées par les glandes surrénales et qui nous permettent de faire face aux stress et aux soucis quotidiens.

Ainsi, la racine de réglisse, par son effet sur les surrénales, chasse la fatigue et donne énormément d'énergie. Elle apaise l'anxiété et détend. L'usage médicinal de la réglisse remonte à près de 4000 ans. Il est dit que les soldats d'Alexandre le Grand purent supporter le stress de la guerre et soutenir les plus grandes fatigues grâce à la racine de réglisse qu'ils transportaient sur eux comme les soldats de nos jours transportent la pénicilline... La vie moderne, pour de nombreuses personnes est un champ de bataille quotidien. L'usage adéquat de cette racine pourrait-il les aider à gagner la guerre?...

La racine de réglisse peut s'utiliser en poudre ou en morceaux. En poudre, elle s'incorpore facilement aux pains, aux galettes, crêpes, biscuits, bouillies pour leur donner un goût subtil et agréable. Les morceaux de réglisse infusés dans de l'eau, permettent la fabrication d'une boisson rafraîchissante.

Il faut se méfier des imitations de réglisse ou de bonbons à base de réglisse qui contiennent un contenu abusif en sucre, ainsi que des concentrés de réglisse qui peuvent provoquer, chez certains sujets sensibles, une hypertension artérielle.

Dans notre société aux agressions constantes et multiples, l'usage de suppléments alimentaires, de la poudre de racine de réglisse, ou encore de ce que des spécialistes appellent la «supernutrition[46]», peut être un geste salutaire, destiné à répondre aux besoins immédiats d'un individu qui n'a pas encore établi de nouvelles habitudes alimentaires.

---

1. Pauling Linus, *Orthomolecular Psychiatry,* Science, 18 avril 1968, Volume 160, p. 265-271. Voici, en ses propres termes sa définition de la psychiatrie orthomoléculaire: «I might have described this therapy as the provision of the optimum molecular composition of the brain. The brain provides the molecular environment of the mind. I use the word mind as a convenient synonym for the functionning of the brain. The word orthomolecular may be criticized as a Greek-Latin hybrid. I have not, however found any other word that expresses as well the idea of the right molecules in the right amounts.»
2. Hoffer A., *Megavitamin B_3 Therapy for Schizophrenia,* Journal of Orthomolecular Psychiatry 1: 46, 1972.
3. Hoffer A., *Orthomolecular Treatment of Schizophrenia,* Journal of Orthomolecular Psychiatry 1: 46, 1972.
4. Hoffer A. et Walker Morton, *Orthomolecular Nutrition,* p. 119.
5. Nittler Alan H., *A New Breed of Doctor,* p. 140.
6. Messenger David L., *Dr. Messenger's Guide to Better Health,* p. 80-82.
7. Cott Allan, *Fasting: The Ultimate Diet.*
8. Airola Paavo, *Hypoglycemia: A Better Approach,* p. 97-100.
9. Krause Marie V. et Hunscher Martha A., *Nutrition et diétothérapie,* p. 96.
10. Ibid. p. 95.
11. Ibid. p. 96-97.
12. Cheraskin E. et Ringsdorf W.M., *Psychodietetics,* p. 74.
13. Davis Adelle, *Let's Get Well,* p. 320.
14. Cheraskin E., Ringsdorf W.M. et Clark J.W., *Diet and Disease,* Keats Publishing, 1977, p. 69-72.
15. Mc Cormick W.J., *Coronary Thrombosis: A New Concept of Mechanism and Etiology,* Clinical Medecine, Vol. 4: 7, 1957.
16. Pfeiffer Carl C., *Mental and Elemental Nutrients,* p. 125-138.
17. Davis Adelle, *Let's Get Well,* p. 145.
18. Krause Marie V. et Hunscher Martha A., *Nutrition et diétothérapie,* p. 115-116.
19. Pfeiffer Carl C., *Mental and Elemental Nutrients,* p. 146-152.
20. Davis Adelle, *Let's Get Well,* p. 100.
21. Seaman Barbara et Seaman Gideon (M.D.), *Women and The Crisis in Sex Hormones,* Rawson, 1977, p. 391.
22. Pfeiffer Carl C., *Mental and Elemental Nutrients,* p. 202-207.
23. Krause Marie V. et Hunscher Martha A., *Nutrition et diétothérapie,* p. 104.
24. Davis Adelle, *Let's Eat Right To Keep Fit,* p. 191-196.
25. Pfeiffer Carl C., *Zinc and Other Micro-Nutrients,* p. 113.
26. Krause Marie V. et Hunscher Martha A., *Nutrition et diétothérapie,* p. 92.
27. Airola Paavo, *Hypoglycemia: A Better Approach,* p. 121.
28. Davis Adelle, *Let's Eat Right To Keep Fit,* p. 192.
29. Ibid. p. 193-196.
30. Krause Marie V. et Hunscher Martha A., *Nutrition et diétothérapie,* p. 92.

---

31. Davis Adelle, *Let's Eat Right To Keep Fit,* p. 192.
32. Ibid. p. 192.
33. American Journal of Obstetrics and Gynecology, 105: 556, 15 octobre 1969.
34. *Thérapeutique médicale 2*, édité par Jean Fabre, Flammarion Médecine-Sciences, p. 995-997, 1978.
35. Pfeiffer Carl C., *Zinc and Other Micro-Nutrients,* p. 112.
36. Ibid. p. 67.
37. Ibid. p. 66.
38. Hoffer Abram et Walker Morton, *Orthomolecular Nutrition,* p. 162.
39. Ibid.
40. Davis Adelle, *Let's Get Well,* p. 240.
41. Pfeiffer Carl C., *Zinc and Other Micro-Nutrients,* p. 66.
42. Ibid. p. 68.
43. Ibid. p. 69-70.
44. Krause Marie V. et Hunscher Martha A., *Nutrition et diétothérapie,* p. 94.
45. *Thérapeutique médicale 1*, p. 466.
46. Hoffer A., *Supernutrition,* Canadian Schizophrenia Foundation, 2229 Broad Street, Regina, Saskatchewan, Canada, S4P 1Y7, 1974.

6

Le mouvement, c'est la vie

Le docteur Frank J. Hurdle[1] a élaboré un programme surprenant pour contrôler efficacement l'hypoglycémie. La pierre angulaire en est l'exercice et non pas un régime! Pourquoi? Parce que le muscle est le plus important réservoir de glycogène du corps et que l'exercice régulier, soutenu et forcé permet la conversion de ce glycogène en glucose directement utilisable par nos cellules. Plus que la nourriture, le mouvement alimente notre système en glucose vital... Quel concept révolutionnaire pour une société fatiguée qui n'arrive pas à soutenir ses forces malgré des repas multipliés!

Le docteur Hurdle explique que notre corps a la capacité de faire des réserves de glucose, sous forme de glycogène dans le foie qui en entrepose quelques 110 grammes et dans les muscles qui en stockent 225 grammes. Le sang conserve en circulation environ 10 grammes de glucose indispensables[2].

Le glycogène du foie est converti en glucose sous l'influence de l'adrénaline des surrénales qui a pour rôle d'élever le taux du glucose sanguin lorsqu'il est trop bas. (Le rôle de l'insuline du pancréas est d'abaisser le glucose sanguin lorsqu'il est trop élevé.) Cette conversion du glycogène en glucose se fait en cas d'urgence ou lorsque le corps a des besoins immédiats et précis. L'adrénaline augmente le pouls et la pression sanguine permettant ainsi une circulation sanguine plus rapide dans toutes les parties du corps et une meilleure irrigation des muscles par un sang riche en glucose. Sous son influence le corps est capable d'exploits. La personne abattue se découvre de nouvelles forces et peut accomplir un travail inusité. La nicotine et la caféine ont sur le corps le même effet qu'une grande peur ou qu'une urgence exceptionnelle. Elles stimulent trop les surrénales et leur production d'adrénaline. Le glycogène du foie est rapidement converti en glucose et transporté aux tissus par le sang. L'effet immédiat est la disparition de la fatigue, l'amélioration des perceptions, un regain de vivacité mentale, le sentiment d'être enfin capable de conquérir le monde. Cependant cette euphorie ne dure pas. Cette stimulation constante et répétée sous l'effet de l'usage habituel de ces drogues épuise les réserves du foie et bientôt le corps n'a plus de source de glucose pour répondre à ses urgences. L'hypoglycémie et son cercle infernal s'est installé: de café en café, de cola en cola, de cigarette en cigarette, le toxicomane a tour à tour l'œil brillant et la main tremblante.

Par contre, le glycogène du muscle devient une source directe d'énergie grâce à l'exercice qui est le facteur-clé qui permet au corps de bénéficier pleinement de ce glucose. Rappelons-nous que nous mangeons pour vivre et que vivre, c'est bouger, c'est utiliser pleinement tout le potentiel musculaire et mental de notre corps. Lorsque nous faisons un travail physique et intellectuel réel qui exige un effort et une dépense d'énergie concrète, nous utilisons nos réserves de glucose et elles servent dans un sens très précis à agrémenter notre vie. Lorsque nous sommes sédentaires, que nous passons la presque totalité de nos journées assis ou debout sur place et couchés, lorsque nous vivons jour après jour, année après année dans une passivité mentale presque absolue, ne lisant ou n'étudiant jamais rien qui lance un défi à notre esprit, nous gaspillons nos réserves musculaires de glucose car celles-ci n'étant pas utilisées, se transforment en graisses et sont déposées dans les tissus adipeux: C'est le syndrome du muscle mou. Incapable d'utiliser ses réserves d'énergie, il les transforme en graisses et elles sont perdues. En conséquence, le taux du sucre sanguin est bas et la personne se sent fatiguée et angoissée. La plupart du temps, le surmenage n'est que la conséquence du manque d'exercice. Nous avons ici la raison pour laquelle une marche rapide repose beaucoup plus qu'une sieste; pourquoi une étude absorbante délasse mieux que de regarder vaguement des revues ou la télévision. C'est travailler physiquement ou intellectuellement avec effort et défi qui tient en forme, qui maintient notre taux de glucose à un niveau adéquat, qui garde jeune et plein d'enthousiasme, qui nous rend capable de plus en plus d'exploits, qui donne ce goût solide de vivre. (Rappelez-vous l'hypoglycémie «à courbe plate», l'hypoglycémie de la routine, du travail à la chaîne, du désespoir tranquille.) Nous avons aussi ici l'indicatif que nous devons accomplir un travail réel chaque jour, car c'est chaque jour que nos muscles reçoivent du glucose qui n'attend que d'être exploité pleinement. Notre corps est merveilleusement créé.

De plus, nos tissus musculaires, d'une façon spéciale, accumulent des déchets dans leurs cellules. Ceux-ci ont besoin d'être rapidement excrétés afin que l'efficacité du muscle ne soit pas entravée. Ce n'est que dans la mesure où le muscle se débarrasse rapidement de ses déchets qu'il peut travailler correctement. Or, la seule chose qui élimine les déchets des muscles, c'est l'exercice. Un muscle mou, inutilisé, envahi de graisses accumule des déchets inouis. Seul un travail réel peut le débarrasser de ces toxines accumulées. La force, l'endurance, la capacité de fournir un travail soutenu sont les qualités d'un muscle utilisé pleinement et régulièrement.

Le docteur Hurdle a raison. L'exercice est, avec une alimentation correcte le principe de survie à l'hypoglycémie, le plus important. Il est en fait indispensable. Un vieux proverbe disait: «Qui ne travaille pas ne mange pas.» Quelle logique évidente puisque l'on mange pour travailler! La raison unique de l'absorption de nourriture est de nous permettre d'utiliser notre corps, et cela au maximum. Si l'on n'a pas l'intention de faire un travail physique et intellectuel réel et concret, manger est une nuisance. Le corps lui-même d'ailleurs va se défendre comme il peut en faisant perdre l'appétit à la personne, en arrêtant ou en ralentissant sa digestion, en lui donnant une langueur et une torpeur pénibles à porter... L'homme moderne, au lieu de comprendre le message codé, le S.O.S. au travail, pense qu'il manque de nourriture, qu'il a faim ou que son régime est inadéquat et une fois de plus, après quelques pas vers le réfrigérateur, il s'assied et il mange pour faire de la graisse qui ajoutera à son fardeau et le tiendra encore plus enchaîné dans la passivité et la tristesse.

Pensez à l'amélioration fulgurante de votre santé si vous vous mettiez aujourd'hui à faire de l'exercice régulier, concret, soutenu. Un bon tonus musculaire est le thermostat automatique du contrôle de l'hypoglycémie. Une activité musculaire vigoureuse contrôle à merveille les fluctuations du glucose sanguin et permet, — inscrivez-le dans votre esprit —, de transformer une alimentation adéquate en énergie actuelle plutôt qu'en graisses.

Essayez et vous verrez. Il n'y a rien de plus efficace pour contrôler les symptômes désagréables de l'hypoglycémie qu'une activité absorbante en plein air. Lorsque ces symptômes surviennent entre les repas, la meilleure façon de les annuler est de prendre un grand verre d'eau, de profondes respirations et une marche d'un pas rapide et déterminé. Automatiquement le taux de glucose de votre sang s'élèvera et vous reviendrez à votre activité routinière *réellement* reposé et gonflé à bloc. Je propose pour les hypoglycémiques et pour tous ceux qui ne veulent pas l'être de remplacer les pauses café par des pauses exercices. Le monde du travail serait bouleversé.

Les exercices qui sont les plus naturels sont la marche et ses variations, — la course, le ski, le patinage et la raquette,—et le jardinage. Ces activités permettent un développement et une utilisation efficaces de tout notre corps. Seule la station debout met à contribution tous nos muscles. De plus, le principe même d'un exercice valable et utile est qu'il soit prolongé, lent et soutenu. Idéalement, il doit faire appel autant à l'esprit qu'au corps. La marche permet le repos de l'esprit et sa stimulation, les yeux se posant sur des choses belles, intéressantes et nouvelles d'un lieu à un autre. Le jardinage exige de la réflexion, de l'intelligence, de la planification, des connaissances. Ces deux activités peuvent se faire à deux, à plusieurs mais aussi seul et permettent ainsi à l'individu d'agir à son propre rythme. Elles n'offrent aucune compétition en soi et donc évitent ce stress ruinant de toujours vouloir faire mieux que l'autre. Elles ne sont pas des activités violentes et n'épuisent pas toutes nos forces en quelques minutes comme la plupart des sports. Finalement, ces activités ne peuvent s'accomplir qu'à l'extérieur et permettent de nourrir le corps de lumière. Le docteur H.L. Newbold[3] dit que la lumière est un nutriment aussi vital que ceux que nous prenons par la bouche. Ce concept peut être surprenant d'autant plus que le docteur Newbold affirme que la lumière que nous absorbons à notre époque est d'une qualité aussi inférieure que la nourriture que nous ingérons et qu'elle affecte notre bien-être physique et émotionnel autant que nos régimes déficients. Il regrette très spécialement les longues heures que la majorité des travailleurs passent sous des lumières fluorescentes qui ne fournissent au corps qu'une lumière très «anémique»[4]. Nos corps ont besoin de la lumière totale du soleil et celle-ci ne s'obtient qu'en plein jour, en plein air, même si le temps est couvert.

Pour survivre dans notre monde artificiel — pour vivre vraiment — il faut bouger régulièrement. Pensez à prendre les escaliers plutôt que l'ascenseur; à vous lever de votre fauteuil pour aller à la filière plutôt que d'y rouler; à aller à pied au bureau, à l'épicerie ou chez vos amis; à cultiver un jardin plutôt que de tondre une pelouse. Oubliez la moto-neige et faites du ski. Préférez les activités en plein air à celles que l'on fait à l'intérieur. Faire de l'exercice n'est jamais perdre son temps, c'est bâtir sa santé.

Êtes-vous réellement en forme? Essayez ce petit truc. Mettez-vous debout, la tête, les épaules, les fesses et les talons appuyés contre un mur. Baissez maintenant la tête sans vous détacher du mur. Si vous ne voyez pas distinctement le bas de votre ventre et la totalité de vos pieds, à l'œuvre, amis! Vous ne pouvez, quoi que vous pensiez, disiez ou croyez, être en parfaite santé. Vous avez besoin de mettre en pratique avec sérieux, le premier et le deuxième principe de survie à l'hypoglycémie.

Il est courant, à notre époque, d'entendre dire que l'activité sexuelle est une forme d'exercice utile qui permet de brûler un excédent de calories. Il est triste d'avoir perdu à ce point le sens d'une véritable sexualité humaine pour ne voir dans la relation sexuelle qu'une activité purement matérialiste[5]. L'hypoglycémique souffre très souvent de troubles de la sexualité[6][7]: son taux de glucose est si bas qu'il est incapable de soutenir une activité sexuelle normale. Il est impuissant. Elle est frigide. Dans une société hyperérotisée, cela peut être perçu comme une réelle infirmité. L'individu peut chercher à corriger cet état par la poursuite d'activités sexuelles déviées qui, pour un temps, lui fournissent des émotions nouvelles et donc le sentiment de pouvoir atteindre l'apogée. C'est dans cette optique que l'homosexualité est considérée par certains médecins orthomoléculaires comme un symptôme de l'hypoglycémie et souvent traitée comme tel avec succès.

D'autre part, de nombreux hypoglycémiques ont des désirs sexuels excessifs et insatiables. La carence en glucose provoque en eux une irritabilité, une surexcitation, une exacerbation de toutes les fonctions de leur être et ils pensent trouver dans l'assouvissement de leurs désirs la détente qui leur échappe. Pour eux, la relation sexuelle est une drogue dans laquelle ils trouvent un soulagement temporaire puis une aggravation de leurs symptômes, ce qui les force à recommencer jusqu'à l'épuisement total de leurs forces. Très souvent, l'activité sexuelle même dite modérée, rend l'hypoglycémique très agressif, déprimé, jaloux ou soupçonneux le lendemain de la veille. Il est abattu, sans courage, ni force et prêt à toute querelle pour n'importe quel motif. Cette attitude est souvent une source de perplexité pour le conjoint qui a beaucoup de difficulté à croire à l'amour de son compagnon. Les résultats de leur don mutuel ne sont pas la tendresse et l'affection mais les disputes et les accusations sans fondement. Il est intéressant à cet égard de tenir un journal et d'y noter précisément le moment de la relation sexuelle et le comportement, les humeurs et les attitudes dans les heures qui la suivent. Pour beaucoup la relation de cause à effet sera évidente.

Là encore, il n'y a pas de remède en dehors de la rectification de la cause. Le régime rationnel de l'hypoglycémique et l'exercice régulier peuvent être les principaux agents curatifs d'une sexualité qui ne procure pas au couple une joie profonde et durable.

Vous désirez avoir la santé? Vous désirez vous sentir en possession de vos moyens? Vous désirez vaincre le stress? Vous désirez être une nouvelle personne? Vous désirez dormir, manger, travailler avec cœur et enthousiasme? PENSEZ EXERCICE...

---

1. Hurdle Frank J., *Low Blood Sugar: A Doctor's Guide to its Effective Control,* Parker Publishing Co. Inc., N.Y., 1969.
2. Krause Marie V. et Hunscher Martha V., *Nutrition et diétothérapie,* p. 35.
3. Newbold H.L., *Mega-Nutrients for Your Nerves,* p. 249-268.
4. Starenkyj Danièle, *Les cinq dimensions de la sexualité féminine,* p. 76.
5. Starenkyj Danièle, *Les cinq dimensions de la sexualité féminine,* Orion, Québec, 1980.
6. Evans Walsh Isabelle, *Sugar, Sex and Sanity,* Carlton Press, New York, N.Y., 1970.
7. Nittler Alan H., *A New Breed of Doctor,* p. 60.

7

Faire face au stress

Nous avons déjà vu dans un chapitre précédent que l'individu moderne ne manque pas d'agressions de toutes sortes contre sa personne. Ces agressions minent sa force vitale et déséquilibrent complètement son mécanisme régulateur du glucose. Il est cependant encourageant de comprendre que le plus grand stress qu'il subit est une alimentation déficiente et que ce stress est directement annulé dès qu'il adopte un régime de vie rationnel. Oui, l'hypoglycémie, cette hydre à mille têtes, se vainc. Quelle bonne nouvelle!

Toutefois, l'homme est un être complexe, créé à l'image de Dieu, et lorsqu'il se détraque la solution à ses problèmes n'est pas toujours unique. C'est alors que le désir sincère de l'aider peut conduire le médecin profondément conscient de sa vocation et de ses responsabilités envers son patient, à des découvertes étonnantes.

Voici un individu qui a retrouvé l'alimentation que son Créateur lui a indiqué: pain, céréales, fruits, légumineuses, noix, graines, verdures sous une forme entière, fraîche et variée. Il a abandonné tous les produits frelatés, raffinés, artificiels, excitants. Il supplée à ses carences par une prise adéquate de suppléments. Il a redécouvert la joie d'un corps qui bouge quotidiennement par la marche et/ou le jardinage. Malgré tout cela, il ressent encore en lui des angoisses et des douleurs qui sapent sa vitalité et minent la paix de son esprit. Que penser? Que faire?

Les médecins orthomoléculaires, devant de tels cas, ont souvent pensé démissionner et douter de leur vocation jusqu'à ce qu'ils découvrent de nouveaux facteurs capables de causer l'hypoglycémie et de la perpétuer en dépit d'un traitement en tout point adéquat. La supernutrition, apprirent-ils bientôt, ne doit pas seulement prendre en considération l'aspect bénéfique des aliments mais aussi le fait qu'il puisse exister chez de nombreuses personnes *des intolérances ou des allergies* spécifiques à certains aliments qui sont d'autre part très sains, très bons[1].

Oui, il est possible de devenir allergique à n'importe quel aliment mais on peut le devenir plus particulièrement à un ou à plusieurs aliments consommés fréquemment, ou quotidiennement et en grande quantité (lait, œuf, bœuf, sucre, blé, maïs, avoine, fromage, pommes de terre, beurre d'arachide, etc...) De telles allergies peuvent produire n'importe quelle forme de névrose, de psychose ou de troubles du comportement[2].

Les personnes souffrant de telles allergies alimentaires dites cérébrales, ont très souvent un goût prononcé pour l'aliment qu'elles ne tolèrent pas car une première bouchée leur donne le sentiment d'une amélioration de leur état dépressif ou même un sentiment d'euphorie et de bien-être sensuel. Malheureusement, ces sentiments ne durent pas et ils sont bientôt suivis, une ou deux heures plus tard, de dépression, d'anxiété et d'abattement. La relation de cause à effet n'est jamais faite, précisément à cause du sentiment de soulagement que donne la consommation de l'aliment en question. Seule la tenue minutieuse d'un journal alimentaire pendant sept à dix jours, qui note avec précision l'heure à laquelle est consommé chaque aliment dans la journée ainsi que l'heure à laquelle se manifestent des symptômes de fatigue, d'anxiété, de colère, d'irritabilité, des maux de tête, des nausées, etc..., peut faire éclater la relation précise entre la consommation d'un certain aliment et la manifestation de certains malaises[3].

Les signes physiques d'une allergie alimentaire cérébrale sont des cernes profonds et foncés sous les yeux; une langue recouverte de mucus blanc; l'inflammation et l'œdème causés par l'allergie tout au long du tube digestif qui entraînent des sentiments de gonflement, des balonnements, des gaz, de la diarrhée ou de la constipation. La personne a des maux de tête, les yeux gonflés, le nez bouché. Elle parle du «nez» et respire par la bouche. Ses sinus sont enflammés et œdémateux. Ses selles sont molles, très collantes et difficiles à nettoyer car un côlon allergique sécrète de grandes quantités de mucus alcalin qui se mélange complètement aux selles et qui entraînent de l'irritation anale, des sensations de brûlures et même des saignements[4,5,6].

Tout ceci nous rappelle une fois de plus que la grande règle de la nutrition est *la variété*. Il est toujours dangereux d'avoir un régime monotone qui ramène chaque jour le ou les mêmes aliments. Ce phénomène, il y a un siècle n'existait que rarement car l'approvisionnement alimentaire était saisonnier. On avait des œufs quand les poules pondaient, du lait quand les vaches mettaient bas et on ne pouvait ainsi, tout au long de l'année, sans exception, boire chaque jour un litre de lait ou manger chaque matin deux œufs. Il en était de même de la viande et de la plupart des fruits et des légumes. On pouvait en avoir en abondance pendant un court temps puis on les oubliait pour longtemps.

Aujourd'hui notre alimentation s'est rétrécie à l'usage de quelques aliments qui reviennent constamment sous de multiples formes. Prenons par exemple le blé. Il y en a partout et on en mange tous les jours, plusieurs fois par jour: pain, crêpes, biscuits, céréales matinales, macaroni, spaghetti, chapelure, pâtes à tarte, gâteaux, sauces. Prenons le lait. Des tas de gens déclarent ne pas en boire mais ils mangent du fromage, du yogourt, de la crème glacée, des flancs, des crèmes, des boissons protéinées. Le lait sous forme de poudre de lait peut se retrouver dans le pain, les gâteaux, les biscuits, les pâtés. La consommation abusive de pommes de terre prises à tort comme un aliment de base figurant à chaque repas de la journée peut être une cause d'allergie qui va se manifester par une irritabilité chronique, des douleurs dans les articulations, de la dépression. En général, la personne souffrant d'une allergie provoquée par la suralimentation d'un aliment précis peut ne pas se sentir horriblement mal mais pas merveilleusement bien non plus. Elle peut souffrir d'une misère de faible intensité à laquelle elle s'est accoutumée et qu'elle prend à tort comme son état normal[7]. La tenue sérieuse d'un journal peut dans de tels cas faire apparaître la consommation excessive d'un aliment au détriment des autres et éveiller de justes soupçons. En règle générale, il faut toujours se méfier d'un goût prononcé pour un aliment particulier. Le sentiment de ne pouvoir se passer d'un aliment et la nervosité, le mécontentement ou la colère qui peuvent envahir l'individu lorsque son aliment préféré est absent, sont de mauvais signes. En matière alimentaire, répétons-le, la grande règle est la variété d'un repas à un autre, d'un jour à l'autre par la rotation constante des céréales, des graines, des noix, des fèves, des fruits, des légumes et des viandes, si on en consomme.

Le traitement le plus efficace d'une allergie cérébrale est l'identification puis l'abandon de l'aliment allergène. Écoutez votre corps. Si vous vous sentez mal d'une façon constante après l'ingestion d'un certain aliment, coupez court. Après une période de sevrage pénible, vous serez libéré[8]. Il est bon de savoir que tout aliment prend environ quatre jours avant d'être complètement éliminé du système. Prenez donc patience. Les médecins orthomoléculaires ont découvert certains nutriments qui permettaient le soulagement efficace des allergies : la vitamine C, les vitamines B, en particulier la B_6, le zinc, le bicarbonate de potassium, le calcium et les vitamines A et D[9].

Le docteur Abram Hoffer raconte que lorsqu'il a découvert les travaux du docteur Marshall Mandell, il a enfin réussi à traiter efficacement près de 50%[10] d'une certaine catégorie de patients schizophrènes qui ne répondaient à aucun traitement, y compris le régime de l'hypoglycémique et la mégavitaminothérapie. Le docteur Marshall Mandell, sur un échantillonnage de 56 schizophrènes hospitalisés pris au hasard, a découvert que 92,2% d'entre eux étaient allergiques à une ou à plusieurs substances dans leur alimentation : 80% l'étaient au blé ; 50% au maïs ; 60% au lait[11]. Après avoir soumis ces malades mentaux à un jeûne contrôlé de 4 jours, ces médecins ont souvent obtenu des résultats inespérés et découvert que les perceptions déformées, les pensées confuses et l'humeur ombrageuse de ces derniers étaient le résultat d'une allergie cérébrale à certains aliments.

C'est en se basant sur des décennies d'une pratique médicale fructueuse de la nutrition que le docteur Hoffer fait la recommandation suivante à tout individu qui souffre d'anxiété, de dépression, d'angoisse, de troubles «mentaux» qui résistent à un traitement nutritionnel adéquat[13]: N'acceptez jamais d'être étiqueté comme un névrosé, de vous faire dire que tout est dans votre tête, que votre imagination est fertile ou que vous avez des problèmes «psychologiques», avant d'avoir subi des tests sérieux d'allergie aux substances alimentaires, aux additifs, aux vapeurs, aux parfums, aux gaz, aux essences. Votre fatigue et votre confusion d'esprit, dès que vous arrivez au bureau, peuvent être causées par les vapeurs de votre crayon-feutre; les crises de larmes de votre femme dès qu'elle entre dans sa cuisine peuvent être dues à l'essence de pin qui s'échappe de ses armoires; la somnolence et l'apathie de votre enfant peuvent être le résultat de sa dépendance envers le chocolat — remarquez, il ne cesse d'en manger dans son lait, ses biscuits, ses gâteaux, ses céréales; la violence et l'agressivité de votre père peuvent provenir des œufs qu'il exige matin, midi et soir...

Le docteur Mandell a filmé des séquences de personnes qu'il avait soumises à des injections d'aliments auxquels elles étaient allergiques. Et aussi bouleversant que cela puisse être pour des esprits soumis aux théories freudiennes, il a filmé un homme qui se mettait à pleurer sous l'influence du maïs, une femme qui devenait «maligne» sous l'influence du chocolat, une autre femme qui grimaçait et se tordait sous l'influence du poivron vert, un homme qui bondit de sa chaise et se mit à se démener sous l'influence d'oranges[14]. Pour le docteur Mandell, un grand nombre de problèmes émotifs sont des anomalies biochimiques réversibles. Sa recommandation dans de tels cas est de rechercher l'aide d'un allergiste afin de déterminer la ou les substances qui provoquent ou aggravent chez l'individu des troubles émotifs. Si cela n'est pas possible, il recommande de se tourner vers le test de l'éminent allergiste, Arthur F. Coca[15].

Le docteur Arthur F. Coca, ayant découvert que la fréquence du pouls augmente après l'ingestion d'aliments auxquels on est allergique, a mis au point un test très simple appelé le test du pouls. Pour le faire, il s'agit de tenir un journal détaillé et précis de tout ce que vous mangez pendant sept jours. En même temps, prenez votre pouls: avant le lever, avant chaque repas, trente minutes après chaque repas et au coucher. Notez-le soigneusement. Si la fréquence de votre pouls ne dépasse jamais 84 battements par minute, vous n'avez probablement pas d'allergies. Si la fréquence de votre pouls dépasse 85 vous avez là l'indication qu'un aliment quelconque est en train de produire une réaction allergique. Si votre pouls varie dans la journée par rapport à votre pouls au lever (il peut s'abaisser ou s'élever de dix battements ou plus) ou si d'une journée à l'autre votre pouls a une différence de plus de deux battements par minute, vous êtes certainement allergique. Si votre pouls change d'une journée à l'autre, de manière à indiquer qu'un jour vous avez une réaction allergique et un autre jour non, mangez à nouveau les aliments suspects et vérifiez ce qui arrive. Un avertissement important: Fumer brouille les cartes. Il faut cesser de fumer pendant toute la période du test.

Lorsque vous avez décidé que vous êtes allergique et que vous voulez mettre le doigt sur l'aliment en question, sautez complètement le repas du soir. Le lendemain matin, prenez votre pouls juste avant de manger *un seul* des aliments soupçonnés, puis prenez à nouveau votre pouls après l'avoir mangé. Notez soigneusement vos symptômes: Faiblesse? Tremblements? Sueurs froides? Palpitations? Étourdissements? Anxiété? Maux de tête? Fatigue? Somnolence? Nausées? Crampes d'estomac? Confusion mentale? Évanouissement? Tête embrouillée? Dépression? Répétez la même routine à deux heures d'intervalle: Vérifiez votre pouls. Mangez l'aliment. Reprenez votre pouls. Notez vos symptômes. Si votre test est concluant, éliminez l'aliment en question. Il est fort possible que vous éliminerez ainsi vos problèmes «émotifs». Répétez ce test avec chaque aliment soupçonné jusqu'à ce que vous ayez obtenu une claire image de vos intolérances alimentaires[16].

Dans ce domaine précis, faire face au stress, c'est savoir maîtriser ses appétits et accepter avec humilité ses intolérances (ou celles des autres). Des milliers de personnes ont retrouvé l'espoir lorsqu'elles ont appris que leur alimentation était la cause de leur misère. Les médecins allergistes qui pratiquent ce qu'ils appellent « l'écologie clinique»[17,18] sont convaincus qu'il est plus scientifique de blâmer son régime pour ses troubles psychiques que de blâmer sa mère ou son père, son sevrage ou son entraînement à la propreté. C'est beaucoup plus logique, beaucoup plus réaliste, économique, encourageant et efficace. N'importe qui peut cesser de manger un ou plusieurs aliments, mais qui peut défaire puis refaire son enfance? Pensez-y. Qui a jamais retrouvé la paix de l'esprit en accusant ses parents pour son anxiété et sa dépression? Par contre, les médecins qui ont une optique bio-écologique de la maladie mentale et des allergies aux manifestations cérébrales, peuvent vous présenter des centaines de personnes guéries de leurs maladies « mentales» par l'élimination des aliments ou des substances (vapeurs, odeurs, essences, parfums) auxquels celles-ci étaient allergiques[19].

Je me rappelle un dicton médical qui s'énonçait à peu près ainsi: si vous entendez un bruit de sabots sur la route et que vous n'êtes pas en Afrique, pensez qu'il s'agit de chevaux plutôt que de zèbres... Si vous vous sentez mal alors que vous mangez, soupçonnez vos aliments plutôt que vos parents. Le docteur Mandell peut vous en convaincre; ils sont une cause beaucoup plus directe de votre état physique et mental qu'eux.

Un médecin orthomoléculaire cherchera aussi, devant un patient difficile à traiter, si celui-ci ne souffre pas *d'une dépendance vitaminique* ou encore d'une mauvaise digestion causée par *des déficiences enzymatiques* ou *un manque d'acide hydrochlorhydrique.*

Lorsqu'une personne a besoin d'une vitamine dans les quantités normalement présentes dans un bon régime mais qu'elle consomme plutôt un régime déficient dans cette vitamine, elle développera une maladie de carence telle que la pellagre (avitaminose B_3), le scorbut (avitaminose C), le béri-béri (avitaminose B_1) ou le rachitisme (avitaminose D). Cependant, si cette personne a une dépendance vitaminique, ses besoins en cette vitamine particulière sont beaucoup plus élevés et même un excellent régime sera inadéquat. Elle aura toujours une déficience vitaminique relative qui entraînera des ravages dans le métabolisme de son corps[20]. Le docteur Léon Rosenberg de l'Université Yale a décrit neuf différentes maladies qui sont le résultat d'une dépendance vitaminique, une condition dans laquelle le besoin vitaminique s'élève au point que ce besoin induit par les gènes dépasse largement l'apport offert par n'importe quel régime. Cinq de ces neuf désordres, et nommons entre autres l'autisme[21], répondent à des doses de 20 à 200 fois plus élevées en vitamine B_6 que celles officiellement recommandées par la *Food and Drug Association*[22].

Les médecins orthomoléculaires savent également bien reconnaître chez certaines personnes schizophrènes, alcooliques ou séniles, le résultat d'une dépendance vitaminique B_3 (niacine). Ces personnes ont génétiquement des besoins en niacine qu'aucun régime courant ne peut combler et doivent pour voir s'évanouir leurs problèmes prendre des suppléments de niacine allant jusqu'à trois grammes par jour[23].

D'autre part, il est important de comprendre que l'être humain doit digérer correctement sa nourriture pour pouvoir en profiter pleinement. La digestion commence dans la bouche sous l'influence d'une mastication appliquée et intégrale. La salive contient des enzymes qui prédigèrent les amidons (céréales, pommes de terre, etc...). La mastication permet à nos aliments broyés de se mélanger intimement à cette salive et les prépare à une bonne assimilation dans notre corps. Il faut manger lentement. Pour y arriver, voici un truc: Déposez votre fourchette entre chaque bouchée. Le temps de la reprendre et de manger à nouveau et vous avez sensiblement augmenté la durée de votre mastication.

Le pancréas sécrète le suc pancréatique qui contient de l'eau, des sels alcalins et des substances capables de digérer les aliments, appelées enzymes. Les sels alcalins servent à neutraliser l'acide chlorhydrique que l'estomac a produit et qui est mélangé à la nourriture. Les enzymes ont toutes une fonction particulière. Il y a les lipases pour digérer les matières grasses; les amylases et les maltases pour digérer les hydrates de carbone et les émietter en sucres simples; la trypsine pour digérer les protéines; la chymotrypsine et la rénine pour faire coaguler le lait.

De nombreuses personnes souffrent après avoir mangé même un petit repas, de sensations de gonflement, de lourdeur, de distention abdominale, de «crise de foie», de gargouillements dans l'estomac. Elles ont l'impression que tout à coup leurs vêtements sont trop petits. Plus tard, elles ont des gaz douloureux qui ajoutent à leur détresse. Elles peuvent être victimes d'une insuffisance d'acide chlorhydrique ou encore de déficiences enzymatiques causées par un pancréas qui ne produit pas un suc pancréatique en quantité et en qualité adéquates[24].

Ces déficiences enzymatiques nuisent particulièrement à la digestion des protéines et donc à la fabrication des acides aminés responsables de la formation d'enzymes, d'hormones, de tissus et d'anticorps. Elles peuvent être à l'origine de dépendances vitaminiques car elles causent un besoin excessif de vitamines et de minéraux en particulier de la B_6 et des éléments qui aident à son assimilation, le zinc et le magnésium. Ce besoin excessif non comblé crée des carences en chaîne. Les déficiences enzymatiques peuvent aussi être à l'origine d'invasions infectieuses causées par des tissus malsains parce que mal nourris et présentant ainsi une faible immunité naturelle. En fait, elles mettent en train toute une chaîne d'inflammation, de destruction des tissus, d'empoisonnement bactériologique et viral qui entravent les processus du métabolisme de notre corps.

Là encore, les manifestations physiques de cette mauvaise digestion peuvent être accompagnées de manifestations mentales légères ou très graves, de réactions violentes ou très dépressives après l'ingestion de certains aliments que l'individu digère plus mal. Le médecin orthomoléculaire, après de soigneux tests, corrige ces déficiences par l'administration d'enzymes pancréatiques, d'acide chlorhydrique et/ou de bicarbonate de sodium nécessaire à la production des sels alcalins qui permettent l'activation des enzymes pancréatiques une demi-heure après la fin du repas[25].

Faire face au stress complètement... Toutes les techniques de détente, de relaxation, de pensée positive, d'hypnose, de méditation transcendantale ou autre peuvent-elles faire taire les cris aigus et dissidants d'un corps malade? L'illusion peut durer un certain temps mais la logique est implacable: La cause n'étant pas ôtée, les effets subsisteront toujours. Il est grave de se leurrer sur soi-même. Il est dangereux de subjuguer ses faiblesses et ses misères. Car un mal nié, transcendé, hypnotisé n'est jamais un mal corrigé. Il a cependant plus de chance de se développer sournoisement et de prendre des proportions dangereuses et irréversibles.

Il faut faire face au stress et non l'ignorer. Or, si l'on trouve de nombreuses racines de cette plante mortelle dans notre corps, hypoglycémie, allergies, carences et dépendances vitaminiques, déficiences enzymatiques — on en trouve aussi dans notre cœur et une racine du stress qui le laboure profondément est le péché. Le terme peut vous surprendre, vous irriter, vous énerver, vous gêner, mais vous ne pouvez dire que vous ne le comprenez pas, car vous avez certainement très souvent senti sa douloureuse morsure et gémi sous son lourd tribut, le remords lancinant qui ronge et épuise toute vitalité, toute joie, toute paix.

Faire face au stress alors que nous sommes écrasés sous le poids d'une conscience tourmentée, c'est se tourner vers celui qui connaît par expérience les faiblesses de l'humanité. Sa voix nous dit encore aujourd'hui: « Venez à moi, vous tous qui êtes fatigués et chargés et je vous donnerai du repos [26]. » Vous pouvez lui amener tous vos sujets d'anxiété, lui raconter toutes vos épreuves. Sa grâce vous préparera une issue car plus le sentiment de votre faiblesse et de votre impuissance vous tenaille, plus elle surabondera. Quelles que soient vos déceptions, quels que soient vos fardeaux, vous pouvez les placer aux pieds de celui qui ne fait point acception de personnes.

Oui, le stress, c'est l'agression sous toutes ses formes. Mais plus le corps est sain, plus l'esprit est en paix, plus ils sont capables de résistance. En effet, l'élimination des stress internes par le contrôle de l'hypoglycémie, l'élimination des allergies et la confiance en Dieu, laisse à l'individu beaucoup de force pour lutter contre les stress externes qu'il ne pourra que rarement éviter. Dans cette lutte obligatoire et quotidienne, il ne peut se battre sur deux fronts et vaincre.. Allons! prenez courage, la délivrance du stress qui vous ronge est plus proche de vous que vous ne l'avez jamais pensé.

---

1. Mandell Marshall, *Dr. Mandell's 5 Day Allergy Relief System*, Pocket Books, New York, 1979, p. 95.
2. Ibid. p. 35-45.
3. Messenger David L., *Dr. Messenger's Guide to Better Health*, p. 73-80.
4. Philpott William H., «*Maladaptive Reactions to Frequently Used Foods and Commonly Met Chemicals as Precipitating Factors in Many Chronic Physical and Chronic Emotional Ilnesses*» dans *A Physician's Handbook on Orthomolecular Medecine* p. 140-149.
5. Mandell Marshall, «*Cerebral Reactions in Allergic Patients*» dans *A Physician's Handbook on Orthomolecular Medecine*, p. 130-139.
6. Lesser Michael, *Depression, Body Forum Magazine*, Vol. 2, Issue 9, cité dans Nutrition and Mental Health, *Select Committee on Nutrition and Human Needs of the United States Senate*, 1980 Update, p. 80.
7. Messenger David L., *Dr Messenger's Guide to Better Health*, p. 78.
8. Ibid. p. 76.
9. Mandell Marshall, *Dr Mandell's 5 Day Allergy Relief System*, p. 235-250.
10. Hoffer Abram, *Orthomolecular Nutrition*, p. 130.
11. Cheraskin E. et Ringsdorf W.M., *Psychodietetics*, p. 130.
12. Mandell Marshall, *Dr Mandell's 5 Day Allergy Relief System*, p. 251-261.
13. Hoffer Abram, *Orthomolecular Nutrition*, p. 75-76.
14. Mandell Marshall, «*An Introduction to Ecological Mental Illness: Demonstrable Cerebral Reactions from Foods and Chemical Exposures:* A Motion Picture Documentation, Review of Allergy 23: # 11, Novembre 1969.
15. Coca A.F., *The Pulse Test*, Arco Books Inc., New York.
16. Cheraskin E. et Ringsdorf W.M., *Psychodietetics*, p. 131-132.
17. Pour informations au sujet de la «Society for Clinical Ecology» écrire à Robert Collier (M.D.), 4045 Wadsworth Bld., Wheat Ridge, Colorado 80 033, E.U.
18. Mandell Marshall, «*Ecologic Concepts and Techniques: Their Impact on an Allergist and His Practice*». Dans L. Dickey, ed., Clinical Ecology, Springfield, Ill.: Charles C. Thomas, 1976.
19. Lire à ce sujet le livre du docteur Mandell, *Dr Mandell's 5 Day Allergy Relief System*, Pocket Books, 1979.
20. Hoffer Abram, *Orthomolecular Nutrition*, p. 6.
21. *Nutrition and Mental Health*, Parker House, 1980, p. 276-279.
22. Fredericks Carlton, *Psycho-Nutrition*, p. 74.
23. Hoffer Abram, *Orthomolecular Nutrition*, p. 28, 31-33, 127-130.
24. Messenger David L., *Dr Messenger's Guide to Better Health*, p. 55-56.
25. Philpott William H., «*Proteolytic Enzyme and Amino Acid Therapy in Degenerative Disease*» dans *A Physician's Handbook on Orthomolecular Medecine.*
26. Matthieu 11, (28).

8

Tout n'est pas dans votre tête!

«Se tromper sur l'homme, c'est par voie de conséquences inévitables, se tromper sur tout»

Gonzague de Reynold

Il y a des millénaires, un homme condamné à boire la ciguë, se convainc qu'il va au-devant d'une merveilleuse délivrance. Il est plein de réserve, de prudence et ne pouvant en avoir, il renonce délibérément à toute démonstration scientifique[1]. Il *espère* en l'immortalité de l'âme et les raisons que ce philosophe grec, Socrate, avance en faveur de son désir ont jeté les semences d'un incommensurable mépris et d'une grave méconnaissance de l'homme au cours des millénaires qui devaient suivre: «Le corps n'est qu'un vêtement extérieur qui tant que nous vivons empêche notre âme de se mouvoir librement et de vivre conformément à sa propre nature éternelle. Il lui impose une loi qui ne vaut pas pour elle. Ainsi, l'âme est enfermée dans le corps comme dans une camisole de force, dans une prison. Mais la mort est la grande libératrice. Elle délie les chaînes en faisant sortir l'âme de la prison du corps et en la ramenant dans sa patrie éternelle. Corps et âme étant radicalement différents l'un de l'autre et appartenant à deux mondes distincts, la destruction du corps ne saurait coïncider avec la destruction de l'âme, de même qu'une œuvre d'art ne saurait être détruite lorsque l'instrument est détruit[2].»

Socrate, par sa conception de la mort, affirme le dualisme de l'homme: corps et âme sont de substances différentes et donc sans influences réelles l'un sur l'autre.

Allons maintenant à Gethsémané. Là Jésus, tout comme Socrate, sait que la mort l'attend. Tout comme lui, il est entouré de ses disciples et tout comme lui, il leur parle. Le monde depuis si longtemps chrétien a-t-il oublié ses propres paroles? «Mon âme est affligée jusqu'à la mort[3].» A-t-il oublié que Jésus commença «à trembler et à être dans l'angoisse[4]»? A-t-il oublié ses cris, ses larmes, sa sueur devenue des grumeaux de sang, ses supplications pour que ses disciples veillent avec lui une heure, son insistance pour que Son Père éloigne de lui le calice amer de la mort, son angoisse, sa douleur atroce sur la croix: «Mon Dieu, mon Dieu, pourquoi m'as-tu abandonné[5]», son cri inarticulé alors qu'il succombe enfin au poids du péché et sombre dans le néant? Pour Jésus, mourir ce n'est pas continuer à vivre en tant qu'âme immortelle, donc au fond sans mourir. Non, mourir c'est vraiment cesser de vivre, c'est perdre le bien le plus précieux que Dieu nous a donné: la vie elle-même.

Jésus, le Fils de Dieu, devant la mort, affirme le monisme de l'homme: l'homme n'a la vie que dans son corps, dans son corps tout indissociable au potentiel physique et spirituel. Et c'est alors que nous éprouvons, comme Jésus, toute l'horreur de la mort, que nous pouvons comprendre l'allégresse de la résurrection: l'homme entier, qui est réellement mort, est rappelé à la vie véritable, pleine et totale par un nouvel acte créateur de Dieu car, chose horrible, une vie créée par Dieu a été détruite[6].

Deux morts, deux espérances, deux conceptions de la nature humaine absolument irréconciliables, radicalement opposées... «Le beau risque» de Socrate, comme le nomme Platon est devenu la croyance fondamentale de notre humanité chrétienne qui a sacrifié le chapitre 15 de la première épître aux Corinthiens au *Phédon*. Ses prémisses, le mépris du corps, son infériorité, son inutilité même par rapport à l'âme et la croyance qui prend cette dernière pour le siège de toute l'activité morale, intellectuelle et spirituelle de l'homme ont profondément marqué, au cours des siècles, la mentalité de notre race et tout particulièrement sa compréhension de la maladie dite «mentale».

Considérée comme un trouble, un dérangement malsain et inquiétant de l'âme, on a cherché pendant des siècles à l'anéantir en brûlant ses victimes ou en les exorcisant. Plus tard, on a cherché à la nier en cachant ses proies et en les enfermant. À l'aube du 20e siècle, une génération qui se veut libre-penseur, perçoit la maladie mentale non plus comme le trouble personnel de l'âme de sa victime, mais comme la conséquence des défauts de son environnement: un sevrage trop brusque, un entraînement à la propreté trop précoce, une mère autoritaire, un père effacé, un manque ou un excès d'amour... La psychanalyse est née et même si Freud lui-même fait de telles déclarations: «On peut me demander si et jusqu'à quel point je suis convaincu de l'exactitude des postulats que j'avance... Je n'en suis pas convaincu moi-même et je n'exige pas que d'autres y croient. Pour mieux dire, je ne sais pas jusqu'à quel point j'y crois[7].» — si puissante est l'adhésion de notre civilisation à la conception platonicienne de l'homme, qu'elle n'y prend pas garde, et lorsque en 1927 le docteur Sigmund Freud déclare: «Je suis fermement convaincu qu'un jour tous ces désordres [mentaux] que nous essayons de comprendre, seront traités par ... des hormones ou des substances similaires[8,9,10]», elle ne réagit toujours pas.

Aujourd'hui, nous avons fait des investigations approfondies du cerveau humain[11]. Nous avons découvert qu'il était le siège de nos pensées, de nos sentiments, de nos aspirations, de nos goûts, de nos perceptions. Nous savons qu'il est un organe de notre corps, alimenté d'oxygène, activé au glucose, dépendant d'un grand nombre de vitamines, de minéraux et d'une foule d'autres nutriments qui déterminent son fonctionnement. Il est également évident que le seul moyen par lequel le cerveau peut obtenir tous ces éléments est par une alimentation adéquate. Nous avons aussi suffisamment de recul pour avouer que la psychanalyse pas plus que l'exorcisme n'a réussi à enrayer la maladie mentale et que, plus que jamais, elle guette un nombre impressionnant d'hommes, de femmes et d'enfants.

Alors que les aspects biochimiques de l'esprit sont de mieux en mieux connus, pendant combien de temps encore, notre société s'accrochera-t-elle à ses conceptions philosophiques dualistes de l'homme? Pendant combien de temps dissociera-t-elle la connaissance scientifique de ses croyances religieuses, pour accepter avec sa tête les données du laboratoire et croire avec son cœur aux idées de Socrate? Pendant combien de temps le public sera-t-il privé des résultats réconfortants de la psychiatrie biologique aussi appelée orthomoléculaire, qui, depuis quelques décennies, en concentrant ses efforts sur une nutrition optimale du corps, construit la preuve irréfutable de l'inexactitude des concepts freudiens qui veulent que toute maladie mentale soit le résultat d'un traumatisme sexuel infantile? Est-il possible qu'encore aujourd'hui, le praticien commence un traitement analytique de son patient, sans lui faire subir auparavant un examen médical physique approfondi? Jusques à quand, ignorera-t-on la supplication du docteur John Tintera: « Personne, mais absolument personne, ne devrait jamais accepter de subir un traitement psychiatrique en aucun lieu, d'aucune manière, à moins et jusqu'à ce qu'il ait subi un test d'hyperglycémie provoquée pour découvrir s'il peut tolérer le sucre[12]. »

Pensons-y! De nombreux hommes de science ont proposé à notre monde moderne, une optique moniste de l'homme, nommons, tout à fait au hasard, Claude Bernard, Alexis Carrell, Paul Tournier, Louis Lavelle et affirmé que la vision dualiste de l'homme « est le résultat d'un œil malade. » Sous leurs preuves, la science contemporaine a accepté l'existence de maladies psychosomatiques, ces maladies physiques causées par l'esprit.

Aujourd'hui, il faut que notre monde accepte l'idée inverse: Il existe des maladies somatopsychiques, des maladies mentales causées par le corps. Ces maladies sont le résultat de mauvaises habitudes alimentaires qui privent le cerveau des éléments dont il a absolument besoin pour fonctionner normalement, — car, qui le niera? — le cerveau est un organe physique dont l'activité biologique est la pensée et les principes biochimiques généraux qui sont applicables au foie et aux poumons, le sont également au cerveau[13].

Une de ces mauvaises habitudes alimentaires qui causent les maladies somatopsychiques est l'usage du sucre qui est impropre à la consommation humaine[14]. En entrant dans le corps de l'homme, il s'infiltre dans toutes ses cellules: Sa peau peut avoir alors de l'urticaire, des démangeaisons, des éruptions, des inflammations, des rougeurs; sa vessie peut rétrécir et entraîner l'énurésie (pipi au lit); son système nerveux central peut réagir et manifester de la tension, de l'anxiété, de la dépression, des hallucinations, de la confusion d'esprit et des altérations du comportement[15].

Des milliers de gens ont trouvé dans la découverte de telles réalités une source d'encouragement et une libération extraordinaire. La joie d'avoir un esprit sain ne relève pas du hasard, elle est à la portée de tous ceux qui acceptent de prendre soin de leur corps grâce à des habitudes alimentaires rationnelles et un genre de vie équilibré.

Alors pourquoi ne pas saisir ce meilleur risque et connaître la possibilité d'une vie nouvelle?

---

1. Lamont C., *The Illusion of Immortality.*
2. Cullman Oscar, *Immortalité de l'âme ou Résurrection des morts?* Delachaux et Niestlé, Suisse, 1956.
3. Matthieu 26, (38).
4. Marc 14, (34).
5. Matthieu 27, (46).
6. Cullman Oscar, *Immortalité de l'âme ou Résurrection des morts?* p. 34-35.
7. Brennan R.O., *Nutrigenetics,* p. 110.
8. Ibid. p. 108.
9. Hoffer Abram, *Orthomolecular Nutrition,* p. 37.
10. Freud Sigmund, *The Standard Edition of the Complete Psychological Works of Sigmund Freud,* Hogarth, Londres, 1966.
11. Penfield Wilder, *The Mystery of the Mind.*
12. Tintera John W., *Hypoadrenocorticism.*
13. Brennan R.O., *Nutrigenetics,* p. 109.
14. Cheraskin et Ringsdorf, *Psychodietetics,* p. 71.
15. Hoffer Abram, *Orthomolecular Nutrition,* p. 23.

9

Et maintenant que faire?

Tous les spécialistes, nommons Hoffer, Nittler et Ross pour n'en nommer que quelques-uns, sont unanimes: le traitement de base, l'unique véritable traitement de l'hypoglycémie est nutritionnel. Même si certains médecins offrent à leurs patients des extraits adrénocorticaux en injections et leur recommandent des suppléments vitaminiques en mégadoses, il faut que ces derniers réapprennent à manger. Il faut qu'ils réapprennent à vivre et cela implique nécessairement un bouleversement complet de toutes leurs habitudes car manger est non seulement un acte personnel, mais aussi familial et social. Cependant, jouir enfin véritablement de la vie, connaître le bien-être exaltant d'un esprit sain dans un corps sain, n'y-a-t-il pas là suffisamment de motivation, pour délaisser certaines habitudes et adopter résolument des principes qui permettent de survivre au mal ravageant du sucre? Des milliers de patients sous la direction et l'encouragement de quelques centaines de médecins l'ont fait et ils en ont retiré une satisfaction profonde. Ils ont découvert, souvent après des années de détresse et d'angoisse que la vie avait en réserve, pour eux aussi, des joies et des détentes particulières.

Et maintenant que faire? Cette question, le docteur Harvey Ross, un psychiatre spécialisé dans le traitement nutritionnel de l'hypoglycémie, l'entend et y répond souvent. Il a observé de très près les réactions de ses patients lors du changement de régime et j'aimerais vous donner ici plus en détails, ses remarques et réflexions à ce sujet[1].

Le docteur Ross estime que chaque patient hypoglycémique va passer par trois stades précis au début de son nouveau régime. Il est très important qu'il le sache afin qu'il s'arme de patience et de persévérance. Le patient ne doit pas s'attendre à des résultats miraculeux du jour au lendemain mais il doit suivre les recommandations à la lettre. S'il est tenté de faire certains écarts, il doit se rappeler que le but et la récompense de son nouveau programme alimentaire est *son* bien-être physique et mental.

Le docteur Ross recommande initialement une diète totalement dépourvue de sucre, de céréales raffinées, de pommes de terre et de café, restreinte en fruits et en légumes et riche en protéines. Ce régime qu'il avoue être boiteux, après trois ou quatre mois est élargi, notamment par l'ajout des céréales complètes.

Au cours du premier stade, c'est-à-dire au début de son nouveau régime, le patient peut se sentir très mal et ressentir de la faiblesse, des étourdissements, des nausées et de la dépression et cela d'autant plus que son nouveau régime est à l'opposé de son régime habituel. Le docteur Ross a l'habitude de donner à ses patients une liste écrite des aliments qu'il leur déconseille absolument et si ceux-ci s'exclament spontanément: «oh! là! là! vous m'ôtez exactement tout ce que j'ai l'habitude de manger», il sait immédiatement que le premier stade qui dure environ un mois sera très difficile. Plus une personne a eu l'habitude de manger du sucre, plus elle se sentira mal en changeant de régime. Elle aura un goût très prononcé pour du sucré et des féculents (pommes de terre, riz, nouilles, spaghetti, etc...) Le docteur Ross remarque que le danger de cette période est que le patient qui se sent si mal et si faible ne réalise pas que cela est une réaction normale et que, découragé ou fâché, il abandonne le régime. Le patient, à ce moment, a besoin de beaucoup d'encouragements et d'exhortations à la persévérance. Il est important qu'il comprenne qu'il doit se *sevrer* et que tout sevrage est pénible. Il faut aussi que le patient sache que des tricheries fréquentes entretiennent le goût pour le sucre indéfiniment et rendent le régime insupportable.

Le deuxième stade et la majorité des patients l'atteignent, dure trois à cinq semaines et il s'annonce par un revirement soudain et inattendu de la situation. Le patient ressent soudain un regain d'énergie, sa dépression s'estompe, il perd ses anxiétés, ses douleurs s'effacent et il a le sentiment très net qu'il est guéri. Le docteur Ross affirme que la vérité de ce soulagement merveilleux est que le patient n'est pas encore sorti du bois! En effet, il va osciller d'une matinée à un après-midi, ou d'une journée à une autre entre des hauts et des bas qui peuvent le désespérer. Là encore, le patient doit comprendre que cela est normal et que cela fait partie de sa convalescence. Les bas ne sont plus que temporaires... Bientôt, les hauts deviennent moins dramatiques et les bas moins angoissants et le patient se met à expérimenter une humeur et une énergie plus constantes. Ici aussi, il est très important que le patient ait beaucoup de soutien et d'encouragements de la part de son entourage. Il doit apprendre à vivre une journée à la fois et à accepter les bons comme les mauvais jours.

Alors que le deuxième stade s'annonce généralement d'une façon spectaculaire, le troisième stade arrive avec discrétion. Bientôt le patient cesse d'osciller entre des bons et des mauvais jours et son état se stabilise. Il sent qu'il va mieux mais il ne peut pas dire qu'il est aussi bien qu'il le désirerait. Il pense avec nostalgie au bien-être extraordinaire ressenti au début du second stade et il s'aperçoit bien qu'il n'est pas encore capable de fonctionner adéquatement. Il faut cependant qu'il prenne courage, car à partir de ce moment, il va connaître une réelle amélioration graduelle et constante, bien que parfois imperceptible. Il s'aperçoit maintenant qu'il est plus apte à faire face au stress quotidien, qu'il dort mieux, qu'il est plus gai ou encore qu'il est capable de résoudre des problèmes qui auparavant lui paraissaient insurmontables.

C'est à ce stade, que le docteur Ross décide avec son patient si ce dernier a besoin de psychothérapie ou non.

Si le patient s'exclame en disant par exemple: «C'est absolument incroyable. Je me sens comme tout le monde maintenant. Je ne fais plus d'une puce une montagne. Je suis capable de faire face à mes problèmes et de les résoudre, alors qu'auparavant je ne le pouvais pas», le docteur Ross estime qu'il n'a pas besoin de psychothérapie car il s'occupe maintenant de ses affaires d'une manière sensée. D'autre part, si un patient dit: «Je me sens assurément mieux. J'ai plus d'énergie mais je n'arrive pas encore à résoudre certains de mes problèmes», le docteur Ross entreprend une psychothérapie qui, à ce moment sera sensée et efficace car le patient pourra être un participant dans la psychothérapie. En effet, il aura un cerveau capable d'identifier ses problèmes, de penser à des solutions possibles et d'évaluer la justesse de ces solutions ainsi qu'un corps avec suffisamment de santé et d'énergie pour mettre en œuvre les solutions jugées appropriées. Dans de telles circonstances, la psychothérapie, la motivation du patient aidant, peut être sensée, efficace et relativement courte.

Les dangers de ce troisième stade sont le manque de reconnaissance des améliorations graduelles et l'abandon prématuré du régime par ceux qui se sentent si bien qu'ils se pensent «guéris», c'est-à-dire prêts à retourner à leurs anciennes habitudes.

Ces trois stades dépassés, il y en a un quatrième. Le docteur Ross recommande d'adhérer encore pour un temps à une diète très stricte afin que le patient s'habitue au bon sentiment d'être en santé. Voilà maintenant quatre mois qu'il a une alimentation très restreinte. C'est au cours de cette dernière période qu'il va découvrir en lui une personnalité totalement nouvelle qu'il ignorait complètement. Le docteur Ross donne l'exemple de personnes qui se pensaient naturellement lentes, incapables de fixer leur attention ou de penser avec vivacité, qui s'étaient habituées à leur état et qui avec étonnement, s'aperçoivent tout d'un coup que cela est du passé. Elles aussi, jouissent maintenant d'une bonne mémoire et d'un cerveau apte à réfléchir et à prendre des décisions rapides et justes. Ces personnes sont extrêmement reconnaissantes de suivre un régime sain et n'ont généralement pas de difficultés à le respecter. Cependant, c'est au cours de ce quatrième stade que le patient va pouvoir élargir son menu avec prudence.

Le docteur Ross, qui tient à ce que le patient suive un régime riche en protéines et pauvre en hydrates de carbone pendant les quatre premiers mois du traitement, va maintenant lui conseiller d'y ajouter des céréales complètes car il reconnaît que leur absence est une faiblesse du régime strict de l'hypoglycémique, puis des légumes et des fruits en quantité plus importante. Il recommande cependant au patient d'ajouter ces nouveaux aliments, un à la fois, de trois jours en trois jours car une intolérance à un aliment peut prendre de un à trois jours pour se manifester. Il faut que le patient apprenne à être très critique face à lui-même. Par exemple, s'il se met à introduire dans son régime un aliment riche en amidon comme les pommes de terre ou riche en sucre comme les dattes et que les symptômes suivants se manifestent: fatigue, désintéressement, dépression, anxiété, maux de tête, mal de dos, etc..., en un mot que les vieux symptômes reviennent, il doit immédiatement mettre l'aliment en question de côté. S'il ne le fait pas, il peut expérimenter une détérioration graduelle de son état de santé qui ne sera pas nécessairement spectaculaire mais insidieuse. Un jour ne sera pas aussi bon que la veille. Il éprouvera à nouveau une appréhension vague. Il se sentira un peu plus fatigué. Le patient ne doit pas ignorer ces sentiments mais les regarder en face avec objectivité et en trouver la cause. Sinon, son état peut facilement dégénérer et revenir au point de départ.

Finalement, le docteur Ross offre un avertissement excessivement important: Le stress est certainement le baromètre de l'hypoglycémique et c'est lui qui détermine en grande partie, sa capacité de tolérer un aliment ou non. En période de stress, le corps devient hypersensible à toute variation de régime et ce qu'il peut tolérer sans problème en période de calme et de détente, devient pour lui, sous une émotion quelconque (dispute, soucis additionnels, gêne) ou une fatigue inusitée (manque de sommeil, grippe, travail supplémentaire), un méfait. Il faut savoir que bien souvent l'individu peut ne pas être conscient qu'il est stressé alors que son corps le ressent très bien. Le premier et le meilleur signe que la personne hypoglycémique est sous un stress est le désir du sucre (ou du sel) qui lui revient soudain. Selon le docteur Harvey Ross, la rage du sucre ou des féculents (pommes de terre, pâtes alimentaires) est la manifestation la plus évidente que l'individu est en train de souffrir d'un stress qui le détruit. À ce moment, il est impérieux qu'il s'en tienne strictement à son régime, qu'il recherche la cause de son stress et si possible qu'il l'élimine et qu'il augmente ses suppléments de vitamine C et des vitamines du complexe-B. Ces vitamines hydrosolubles sont reconnues pour leurs qualités anti-stress. Le docteur Ross conseille encore, chaque fois que cela est prévisible, de se préparer à toute période d'activité exceptionnelle (la rentrée des classes, les examens de fin d'année, une réception d'amis, un changement d'emploi, une maladie dans la famille, etc...) en suivant le régime de l'hypoglycémique très strictement et en prenant de grandes doses de vitamines C et B.

Ainsi donc, courage! Le docteur Ross, et il est bon de savoir que tout ce qu'il dit est basé sur une vaste expérience du traitement de l'hypoglycémie, affirme que 80% de l'amélioration physique et psychologique de l'hypoglycémique a lieu pendant les trois ou quatre premiers mois du régime. Puis environ six mois à un an après le début du traitement, le patient expérimente une amélioration additionnelle de 20%, ce qui l'amène généralement en une année à changer complètement d'attitude. Bientôt encouragé par sa capacité de faire face à la vie, de conserver des amitiés, de faire des plans et de les réaliser, de poursuivre une carrière, il développe une nouvelle personnalité nourrie par le succès, la confiance saine en soi et la stabilité émotionnelle.

Que peut-on dire d'autre sinon que le jeu en vaut la chandelle... Tout est positif dans un tel régime et les résultats sont plus qu'encourageants. D'autre part, il est terrifiant de lire les conséquences d'une hypoglycémie ignorée tout au long de la vie d'un individu.

Jean-Paul Du Ruisseau[2] trace un tableau d'une telle vie et avance qu'un enfant né de parents hypoglycémiques risque de souffrir d'anomalies congénitales et qu'il sera probablement, dès sa naissance, plus gros que la normale. Néanmoins, il peut mener une vie satisfaisante s'il est nourri au sein, et entouré de beaucoup d'amour, de propreté et d'air pur. Cet enfant, s'il évite dès sa naissance les produits raffinés, ne connaîtra pas les crises d'hypoglycémie et ne développera pas de rages de sucre.

Cependant, si la condition de cet enfant n'a pas été reconnue, adolescent, il sera guetté par plusieurs troubles dont l'acné, la flatulence, le sommeil involontaire au cours de la journée, l'irritabilité, la fatigue, la difficulté à se concentrer intellectuellement, etc... et ce à des degrés divers. L'adulte verra ces troubles s'intensifier encore et se diversifier: obésité, fatigue subite et inexpliquée, irritabilité, sudation, impatience dans les jambes, petites crampes dans les mollets, migraines, manifestations d'allergies plus accentuées. Là encore si l'hypoglycémie est diagnostiquée et traitée, la personne peut s'attendre à voir tous ses troubles disparaître. Si au contraire, elle n'est toujours pas dépistée «les troubles qui jusqu'alors n'étaient que fonctionnels deviendront anatomiques ou lésionnels. Thrombose coronaire ou cérébrale, atteintes rénales, maladies vasculaires: varices, claudications intermittentes, vésicule biliaire contenant des pierres, ulcères d'estomac, etc... Troubles neurologiques: atteinte des nerfs moteurs ou sensitifs. Aussi longtemps que la condition [hypoglycémique] du patient ne sera pas reconnue et aussi longtemps que le patient aura recours aux sucres ou à l'alcool pour combattre ses troubles, la condition progressera.» Il deviendra «un véritable diabétique. Il présente à ce moment, les trois «p» du diabète: polyurie (il urine souvent), polyphagie (il mange souvent), polydypsie (il boit souvent). À ce stade, s'il consulte un médecin, son état de diabète sera reconnu. Cependant sa maladie aura atteint un point irréversible. Le régime seul ou une médication accessoire: diabénèse, orinose, etc... ne pourront plus contrôler sa maladie. Il devra recevoir de l'insuline[3].»

Devant une telle situation, ne ressentez-vous pas l'urgence d'adopter un régime sain et véritablement adapté aux besoins réels de votre corps? Si vous êtes convaincu du mal du sucre, vous pouvez à l'instant même en limiter les dégats. Il s'agit d'arrêter de consommer des produits inventés par l'homme et de découvrir le goût, la couleur, l'odeur, la texture des aliments que Dieu a fait et de jouir de leurs bienfaits avec reconnaissance.

Plusieurs médecins ont des approches diététiques différentes avec des restrictions ou des permissions d'aliments particuliers. Mise à part l'interdiction absolue des sucres, des farines blanches et de la caféine, certains médecins vont défendre ou non l'usage des produits laitiers car le lait comporte un sucre, le lactose, d'autres vont permettre l'usage de produits sucrants artificiels. Certains permettent certains fruits et légumes, d'autres non. Dans ce domaine, l'individu doit arriver à savoir luimême, ce qu'il tolère ou pas en étudiant de très près ses réactions. Toute fatigue, toute dépression, toute douleur inhabituelle doit le mettre en garde et lui faire soupçonner qu'il mange un aliment qui le dérange.

Le docteur Alan H. Nittler a une approche diététique particulière de l'hypoglycémie[4]. Il sait que son patient a passé la majeure partie de sa vie à surmener son corps et que celui-ci a besoin d'un repos. Pour briser d'anciennes habitudes et pour lui permettre un nouveau départ il lui propose, tout comme le docteur D.L. Messenger[5], un jeûne partiel au cours duquel il ne consomme que des jus de fruits ou des fruits frais. Un jeûne, pour être bénéfique, ne devrait pas se prolonger au-delà de 3 à 4 jours.

Selon l'expérience de nombreux hypoglycémiques, après cela, le meilleur régime[6] est un régime à base de pain complet et de céréales non raffinées qui va permettre un apport adéquat en glucose et favoriser sa bonne utilisation dans l'organisme. Manger du pain complet, à satiété, c'est s'assurer de soutenir ses forces d'un repas à un autre, de contrôler son poids et d'éviter les fringales qui nuisent à l'organisme. Lorsque le pain est à nouveau le plat de résistance de nos repas, il est facile de délaisser l'usage de l'alcool, des stimulants et des aliments sucrés et frelatés, ces substances que notre corps carencé en glucose semble vouloir follement, parce qu'elles lui fournissent du glucose en un temps record... en surabondance... mais qui, vous le savez très bien, s'évanouit comme la neige au soleil.

Le docteur Nittler, parce qu'il a pu en constater les terribles ravages chez des milliers de patients a affirmé sans ménagement: «Je condamne le régime courant des Américains[7].» Et vous, qu'allez-vous faire? Un régime abondant, varié, nourrissant à base de pain complet et de céréales non raffinées, agrémenté d'une foule de fruits et de légumes, complété avec des noix, des graines et des légumineuses est le meilleur régime possible pour vaincre le mal du sucre.

Nous allons maintenant vous aider à découvrir et à choisir ces aliments naturels en vous offrant des listes d'aliments strictement défendus, permis avec modération ou restriction selon les opinions particulières des médecins et permis sans restriction. Nous allons aussi décrire plus en détail certains aliments naturels dans le glossaire[8] afin de vous faciliter un choix intelligent et conscient de vos aliments. Finalement nous vous offrons des recettes[9] qui vous permettront de mettre en pratique les principes d'une alimentation répondant à vos besoins. Ces recettes, strictement à base d'aliments entiers, font un usage important des céréales hypo-allergènes et pauvres en gluten mais riches en protéines, le millet et le sarrazin, et peuvent être utilisées avec profit par ceux qui ont des intolérances spécifiques aux céréales riches en gluten ou qui préfèrent pour un temps mettre de côté le blé. La section des pains et petits pains présentent des substituts du pain de blé à base de maïs, millet, sarrazin et riz mais aussi une excellente recette de pain de blé sans sucre, ni miel, ni huile. La recette de granola, riche en protéines et sucrée uniquement avec des dattes diluées est excellente pour les enfants. Elles sont également sans viande ni poisson pour répondre aux besoins de cette catégorie de plus en plus vaste de gens qui ont choisi de vivre avec bonheur l'option végétarienne. Elles respectent néanmoins, le besoin élevé en protéines de l'hypoglycémique considéré essentiel par plusieurs médecins, au moins pendant la phase initiale du régime. Les recettes offrent aussi des desserts sains à base de fruits frais et séchés.

Finalement, elles offrent également des substituts de produits laitiers pour ceux qui veulent ou qui doivent s'en passer ainsi que des substituts très intéressants, et savoureux, de fromage. En effet, il est essentiel que l'hypoglycémique sache qu'il existe une hypoglycémie qui semble résister à tout traitement, chaque fois que cessant de consommer du saccharose, un individu se met à consommer des quantités phénoménales de lactose, le sucre des produits laitiers (lait, fromage, yaourt). Cette consommation exagérée peut entraîner une allergie à ces produits. C'est alors que l'hypoglycémie, doublée du problème de l'allergie s'agrippe à l'individu qui soudain sombre sous le poids de symptômes mentaux — manque d'initiative, confusion mentale, dépendance psychologique, manque d'énergie, colère, violence, envie de se détruire, excitation nerveuse, phantasmes sexuels — qui semblent, ô ironie! s'estomper légèrement chaque fois que son corps qui maintenant les réclame furieusement, absorbe des produits laitiers.

Il faut aussi savoir que le sucre du lait, le lactose, a besoin d'une enzyme spécifique, la lactase, pour qu'il puisse être digéré. Or la lactase est une enzyme qui, naturellement et progressivement, disparaît chez l'être humain, une fois l'âge du sevrage passé (environ 4 ans). Ainsi l'organisme déficient en lactase ne peut correctement métaboliser le lactose et il développe une intolérance à ce sucre qui va se manifester par des douleurs gastro-intestinales, de la diarhée et des crises d'anxiété. En l'absence de lactase, le lactose fermente et produit de l'acide lactique qui, absorbé dans le sang, va lier et rendre inutilisable pour les cellules, le calcium et le magnésium. Or sans calcium, ni magnésium, il ne peut y avoir un fonctionnement normal du système nerveux, d'où crises d'angoisse, de mélancolie, d'agressivité, de violence.

De plus, en l'absence de lactase, le galactose, un autre sucre du lait, n'est pas transformé en glucose et son accumulation dans l'organisme peut entraîner chez certaines personnes (un schizophrène sur 5[10]) des troubles mentaux, mais aussi une cirrhose, une cataracte, un retard de croissance[11]...

L'aventure véritable va commencer. Ne soyez pas timoré ni timide, mais foncez! Il y a devant vous beaucoup de joie, de satisfaction, de bien-être et de paix. Vous n'avez vraiment rien à perdre mais tout à gagner.

---

1. Ross Harvey M., *Fighting Depression,* Larchmont Books, New York, 1980, p. 94-107.
2. Du Ruisseau Jean-Paul, *La mort lente par le sucre,* Éditions du Jour, Montréal, 1973, p. 139-146.
3. Ibid. p. 144.
4. Nittler Alan H., *A New Breed of Doctor,* Pyramid Books, New York, 1976, p. 138-145.
5. Messenger David L., *Dr Messenger's Guide To Better Health,* Fleming H. Revell Company, Old Toppan, New Jersey, 1981, p. 81.
6. Anderson J.W., *Can Med Assoc J,* 123: 975-979, 1980.
7. Nittler Alan H., *A New Breed of Doctor,* Pyramid Books, New York, 1976, p. 140.
8. Ce glossaire est tiré du livre «*Hi-Energy Vegetarian Cook Book for Low Blood Sugar*» de Ellen Burns ©. Il a été traduit, adapté et élargi avec sa permission.
9. Ces recettes sont en partie tirées du livre «*Hi-Energy Vegetarian Cook Book for Low Blood Sugar*» de Ellen Burns©. Elles ont été révisées et modifiées avec sa permission.
10. Philpott W.H., Maladaptive Reactions to Frequently Used Foods and Commonly Met Chemicals, in *Orthomolecular Medecine,* Pergamon Press, p. 145, 1977.
11. *Dictionnaire de Médecine,* Flammarion, 1982.

10

Il faut être précis

Nous venons de voir que le docteur Alan H. Nittler donne une liste précise d'aliments que l'hypoglycémique doit résolument mettre de côté. Par contre le docteur Abram Hoffer, qui croit que le régime de l'hypoglycémique consiste tout simplement dans l'élimination de son alimentation de *tous* les produits raffinés, se refuse à en donner les détails[1].

On aimerait souvent, quand on est éducateur, apprendre à l'individu à s'alimenter selon des principes de base et l'amener à les appliquer lui-même dans l'élaboration de ses repas. Mais l'expérience de nombreux médecins est là: il est très souvent, beaucoup plus souvent que pas, nécessaire d'être formel et de donner des listes d'aliments conseillés, à éviter et à éviter avec modération. C'est pourquoi, les docteurs Abrahamson[2], Cheraskin[3] et Fredericks[4] n'hésitent pas à établir avec précision les détails du régime de l'hypoglycémique. Tout en gardant à l'esprit, la recommandation du docteur Hoffer, considérons les listes que donnent certains médecins afin d'apprendre ce qu'est un aliment naturel et non raffiné et ce qu'est un aliment dénaturé et fragmenté.

Aliments conseillés

Les pommes
Les poires
Les abricots
Les avocats*
Les mûres
Les fraises
Les framboises
Les groseilles
Les cassis
Les melons (toutes les variétés)
Les cerises
Les pamplemousses
Les oranges
Le jus de citron
Les pêches
Les ananas
Les courges, citrouilles, courgettes, zucchinis
Les tomates
Les concombres
Les poivrons
Les aubergines
Les haricots verts et jaunes
Les petits pois
Les artichauts
Les rutabagas
Les oignons
Les champignons
Le persil
Les navets
Les radis

---

* Selon Carlton Fredericks[5], la consommation régulière d'avocat est excellente car ce fruit comporte un sucre particulier (mannoheptulose) qui ne stimule pas le pancréas mais au contraire freine la production d'insuline.

Les épinards
Les asperges
Les fèves germées
Le brocoli
Les choux de Bruxelles
Les choux verts, rouges, choux-fleur, choux-rave
Les carottes
Le céleri
Les bettes à carde
Les choux chinois
Les laitues, les verdures
Les échalotes
Le fenouil
Les poireaux
Les betteraves
Les œufs
Les produits laitiers acidulés (s'il n'y a pas d'intolérance ou d'allergie personnelle)
Le fromage frais et blanc
Les olives fraîches
Les fèves (soja, lentilles)
Les noix fraîches
Les graines de tournesol, sésame, lin, chia, citrouille
La noix de coco
Les huiles fraîches
Le millet
Le sarrazin
Les tisanes

«La santé est un trésor. Elle est le plus précieux de tous les biens temporels. Les richesses, les honneurs et l'éducation sont chèrement achetés, s'ils le sont au prix de la santé. Si la santé est perdue, rien de tout cela ne peut donner le bonheur... [6]»

Aliments à utiliser modérément et/ou selon les tolérances personnelles

Le blé
Le seigle
L'avoine (flocons d'avoine, gruau)
L'orge
Les fèves, en particulier de Lima
Les fruits séchés, en particulier les dattes et les figues
Le jus de raisin
Le jus de pruneaux
Les bleuets (les myrtilles)
Les bananes
Les mangues
Le jus de papaye
Le miel cru (pas plus d'une cuillère à thé par jour)
Les noix d'acajou
Les châtaignes
Les patates douces
Les pommes de terre
Les pois chiches
Le riz brun
Le maïs
Le poisson frais, si désiré, en petite quantité, pas plus d'une fois par semaine
La viande fraîche, si désirée, en petite quantité, pas plus de deux à trois fois par semaine

Aliments à éviter

Le sel de table (il peut contenir du dextrose)[7]
Les noix rôties
Les épices
Les boissons alcoolisées
Les boissons gazeuses

Les succédanés de sucre
La caféine, le café, le thé
Les bonbons
Les fruits conservés dans le sirop
Les légumes en conserve
Les viandes en conserve
Les soupes en conserve
Le caramel
La gomme à mâcher
Le chocolat, le cacao*
La charcuterie
Les biscuits
Les craquelins
Les crèmes renversées
Les crémages
Le miel pasteurisé, cuit ou chauffé
Les «hot-dog»
Les confitures
Les gelées
Les préparations à base de gélatine
La sauce soja commerciale
Le lactose (pur ou sous forme de produits laitiers)
Les pâtes alimentaires (nouilles, spaghetti, lasagnes, macaroni)
Le pain commercial
La mélasse
Le sorghum
Le sirop de malt
Les breuvages à base de malt
Les pâtisseries

---

* Le cacao stimule le foie à relâcher le glycogène stocké et lorsque le glycogène entre dans le courant sanguin sous forme de glucose, le pancréas hypersensible réagit, car cette organe ne peut faire la distinction entre une élévation du glucose sanguin causée par la consommation de sucre ou par un abaissement des réserves du foie[8].

Les cornichons
Les produits conservés dans le vinaigre
Les colas*
Les succédanés de café
Les croustilles de pommes de terre
Les brioches
Le salami
Les saucisses
Les vinaigrettes, sauces tomates, « relish », « ketchup »
Les sirops de maïs et d'érable
Les céréales en boîtes
Les fromages fondus (ils peuvent être dilués avec de la fécule de maïs)[10]

La liste pourrait encore s'allonger. Il faut que vous appreniez à vérifier très soigneusement les étiquettes de *tout* ce que vous achetez. *Tout produit* contenant du sucre (glucose, dextrose, caramel, sirop de maïs, sucre liquide, sucre inverti, miel, sirop d'érable, sirop de malt), de la farine blanche, de la fécule de maïs, du tapioca, de l'alcool, de la caféine, du cacao, des épices, un excès de sel, des agents de conservation, des colorants, des saveurs artificielles, *doit être résolument mis de côté.*

Les viandes froides, la charcuterie et les conserves de viande sont très souvent préservées avec des quantités appréciables de sucre. Pensez-y.

Il faut aussi penser aux médicaments. Tous les médicaments contenant du sucre, de l'alcool ou de la caféine doivent être évités. Il est important que vous demandiez à votre pharmacien une description détaillée de tout produit que vous avez l'intention de prendre. En général, les analgésiques, les stimulants, les calmants et les stupéfiants entraînent des réactions dangereuses chez l'hypoglycémique[11].

---

* Leur contenu en sucre est absurde, leur acidité peut être aussi élevée que celle du vinaigre et leur quantité de caféine est l'équivalent de plus d'un quart d'une tasse de café[9].

---

1. Hoffer Abram, *Orthomolecular Nutrition*, Keats Publishing, Inc. New Canaan, Connecticut, 1978, p. 85.
2. Abrahamson E.M. et Pezet A.W., *Body, Mind and Sugar*, p. 68-69.
3. Cheraskin E. et Ringsdorf E.M., *Psychodietetics*,p. 203-205.
4. Fredericks Carlton et Goodman Herman, *Low Blood Sugar and You*, p. 133-152.
5. Fredericks Carlton, *Psycho-Nutrition*, p. 167.
6. White E.G., *Conseils sur la nutrition et les aliments*.
7. Fredericks Carlton, *Psycho-Nutrition*, p. 151.
8. Ibid. p. 165.
9. Fredericks Carlton, *Low Blood Sugar and You*, p. 157.
10. Ibid. p. 144.
11. Cheraskin E. et Ringsdorf W.M., *Psychodietetics* p. 205.

11

Petit glossaire des aliments

«Celui qui possède à fond l'art culinaire et qui l'applique comme il doit le faire est digne d'une considération plus élevée que ceux qui s'adonnent à n'importe quel autre travail. Cette capacité doit être tenue pour l'équivalent de dix talents[1] !»

Voici maintenant, pour vous encourager à utiliser les aliments non raffinés qui sont utiles dans le régime de l'hypoglycémique, une description de leur valeur nutritive ainsi que leur mode d'emploi. Il est agréable de cuisiner avec intelligence et pour cela il faut avoir une connaissance adéquate de ce que l'on emploie.

L'agar-agar

L'agar est une algue sans goût. C'est un colloïde non irritant qui absorbe rapidement l'humidité et la retient. Cette absoption fournit du volume aux selles et lubrifie les intestins.

L'agar-agar est utilisé comme un agent gélatineux dans les soupes, les salades et les desserts à la place de la gélatine et de la pectine. Il prend en gelée rapidement à la température de la pièce. Une petite quantité dure longtemps.

Proportions de base et mode d'emploi:

3½ tasses de liquide
et 2 c. à soupe d'agar-agar en flocons

ou

3½ tasses de liquide
et 1 c. à soupe d'agar-agar granulé

Laisser tremper 1 minute puis faire bouillir jusqu'à ce que le tout soit clarifié.

Les algues

Ce sont des sources importantes de minéraux et d'iode en particulier. Elles peuvent être mangées fraîches ou séchées et constituent, mises en poudre, un substitut de sel.

Les aromates

Les aromates sont utiles pour agrémenter la saveur des plats et fournissent des éléments-traces souvent difficiles à obtenir d'une autre source. L'art de les employer consiste à les utiliser avec une grande discrétion afin que leur saveur se mélange à l'aliment et non pas qu'elle le domine. La subtilité est la grande règle dans l'usage des aromates.

L'ail
La marjolaine
La menthe
L'oignon
Le paprika
Le persil
Le laurier
Le romarin
Le safran
La sauge
L'estragon
Le thym
Les graines d'aneth
Les graines de fenouil

Le basilic (en poudre, est un excellent substitut de poivre)

Le coriandre (en poudre, est un excellent substitut de cannelle)

La caroube

C'est un substitut agréable du chocolat et du cacao qui sont dommageables pour le corps.

La caroube, dans la Bible, est mentionnée comme ayant été la nourriture ordinaire de Jean-Baptiste. Elle est ainsi appelée dans plusieurs langues «le pain de St-Jean-Baptiste». Elle s'appelle aussi «sauterelle sucrée».

Elle comporte 50% de sucres naturels et 7,8% de protéines. Les sucres naturels et non raffinés de la caroube comportent leurs propres vitamines B en vue de leur digestion. Ainsi la consommation de ce produit sucré ne prive pas le corps des vitamines B.

La caroube s'emploie très bien, à la place du cacao, dans les boissons chocolatées, chaudes ou froides, dans les laits frappés, les gâteaux, les biscuits, les glaçages, les crèmes et les bonbons.

Les céréales

Les céréales sont la base de l'alimentation humaine. Leur richesse en glucides et en fibres en font une source unique de glucose qui se déversera lentement et pendant plusieurs heures dans le sang. L'organisme est ainsi assuré de recevoir sans faille le glucose dont il a besoin pour déborder d'énergie et de vitalité d'un repas à un autre. Manger du pain complet est l'unique moyen de vraiment perdre le goût obsédant du sucre, de se débarrasser de la mauvaise habitude de grignoter et de délaisser l'usage des stimulants.

Certains auteurs croient que l'hypoglycémique tolère mal les céréales et plus particulièrement, celles qui comportent du gluten et qui sont le blé, l'orge, l'avoine et le seigle. Il existe certes une allergie au gluten[2] qui entraîne des symptômes qui peuvent être confondus avec ceux de l'hypoglycémie, et c'est pourquoi dans le but de minimiser les risques, ces auteurs recommandent aux hypoglycémiques, au début de leur régime, de mettre de côté les céréales riches en gluten.

Par contre, l'hypoglycémique devrait faire un usage abondant de millet, de sarrazin, de riz et de maïs. Ces céréales ne comportent pas, selon l'opinion générale, de gluten.

Comment ôter l'amidon des céréales

À une partie de céréales en grains, ajouter 10 parties d'eau. Faire bouillir 5 à 20 minutes, selon la céréale employée. Le sarrazin cuit vite et ne demande que 5 minutes de cuisson alors que le millet en exige 20.

Mettre les grains dans une passoire et laisser l'eau s'égoutter puis rincer à plusieurs reprises à l'eau froide. Les grains seront alors débarrassés d'une grande partie de leur amidon et seront légers et tendres. Ce procédé conserve cependant aux grains une haute valeur protidique.

La complémentarité des protéines

Lorsque l'on mange des protéines végétales issues d'une seule plante, comme le riz ou les fèves, il peut y avoir une insuffisance de certains acides aminés essentiels. La solution est de combiner différentes sources de protéines végétales au même repas et ainsi d'augmenter grandement leur valeur protidique réciproque. On peut ainsi manger des fèves avec des céréales et cette combinaison augmente leur valeur protidique jusqu'à 40%. Voici un exemple:

Pâté de riz brun et de beurre d'arachide

3 tasses de riz brun cuit

3 c. à soupe de beurre d'arachide

½ tasse de lait

1 c. à thé de sel

½ c. à thé de sauge

2 c. à soupe d'huile

Mélanger le tout et cuire au four 45 minutes à 180°C (350°F). Le mélange riz brun-beurre d'arachide augmente de 21% le taux de protéines assimilables.

Les épices

Les aromates doivent être distingués des épices qui sont irritantes pour l'estomac et les nerfs. On peut nommer:

Le poivre (augmente la pression sanguine)

Le chili

Le poivre de Cayenne (irritation de l'estomac)

Le raifort (irritation génito-urinaire)

Le clou de girofle (augmente le désir de la drogue, irrite les nerfs)

La cannelle (augmente le désir de la drogue, irrite les nerfs)

Les graines de moutarde

Le gingembre

La muscade (détruit le mucus qui normalement protège l'estomac et les intestins, donne des hallucinations, déprime ou irrite le système nerveux central)

Le vinaigre (irrite les nerfs, détruit les nutriments)[3]

Les fruits d'églantier

C'est une des plus riches sources de vitamine C. On peut les ramasser en automne et les conserver pour l'hiver dans des pots hermétiquement clos. Les fruits de l'églantier conservent un taux élevé en vitamine C même lorsqu'ils sont cuits.

La germination

Les graines contiennent les principes vitaux de la plante. Elles ont tous les éléments nécessaires pour débuter une nouvelle vie.

Les graines sont très bénéfiques pour les nerfs et les glandes et elles le sont d'autant plus qu'elles sont germées. Alors que les graines sont exposées à la lumière, l'amidon est transformé en sucre, le taux de vitamine C s'accroît, la chlorophylle ainsi que la vitamine A s'élaborent.

Les germes figurent parmi les aliments les plus frais et les plus économiques que nous puissions manger. Ils sont des suppléments vitaminiques et minéraux insurpassables et comblent ainsi les carences d'une alimentation courante.

Si vous vivez dans un appartement et que vous désirez des aliments organiques, dépourvus d'insecticides, les germes sont la solution rêvée.

On peut faire germer toutes les graines, mais les graines de luzerne sont les plus faciles et les meilleures. Par exemple, les graines de luzerne germées sont une source inégalée de vitamine A. Après être devenu un expert dans la germination de la luzerne, vous pourrez essayer de faire germer n'importe quelles autres graines, comme le soja, les lentilles, les fèves mung, les pois secs, les pois chiches, le blé, l'avoine, l'orge, le millet et le seigle.

On peut penser aux graines de tournesol, au fenugrec et au sarrazin. Il ne faut utiliser cependant que des graines fraîches, entières et non traitées sinon celles-ci ne germeront pas mais pourriront.

Une petite quantité de graines ira loin. Pour un contenant d'un litre, 1 cuillère à soupe de graines est suffisante. Mettez les graines dans un pot et recouvrez-les d'eau. Laissez-les tremper environ deux heures ou plus, puis versez l'eau et rincez les graines avec de l'eau fraîche. Le contenant sera recouvert sur l'embouchure d'un morceau de coton à fromage, de moustiquaire en plastique ou de bas de nylon, afin de retenir les graines à l'intérieur du pot lors des rinçages.

Mettez le pot dans un endroit chaud. Si la température est constante, les graines germeront vite. La règle générale est de garder les graines humides et de veiller à ce qu'elles ne sèchent pas. Évitez soigneusement tout excès d'eau.

Lorsque les germes commencent à pointer, les exposer à la lumière directe. Ils développeront alors de la chlorophylle. Les graines germées sont prêtes à la consommation quand elles présentent des feuilles bien ouvertes.

Il est important de souligner ici que les germes transforment les graines en *légumes* riches en eau, en vitamines, en minéraux mais pauvres en hydrates de carbone (glucides) et en fibres. Ils ne peuvent donc former la base de l'alimentation pas plus que les fruits ou les légumes. Ils doivent être des ajouts aux céréales, au pain et aux légumineuses qui constituent l'unique source vraiment utile de glucose pour notre organisme et plus particulièrement pour notre cerveau, le siège de notre personnalité.

Les graines de chia

Les Indiens du Mexique et des États-Unis utilisaient autrefois les graines de chia comme un aliment de base. Elles étaient une de leurs céréales les plus importantes, considérées comme donnant de l'énergie et de l'endurance. Les graines de chia peuvent être moulues et saupoudrées sur les salades, les légumes, les céréales, les fruits, les soupes ou ajoutées aux pâtés et rôtis végétariens. Ces graines sont mucilagineuses et servent de liant très efficace dans les crêpes à la place des œufs.

Les graines de citrouille

Ces graines contiennent des vitamines A, B_1, B_2 et B_3, des graisses, des hydrates de carbone, du calcium, des protéines, du fer et du phosphore. Elles sont une excellente source végétale de zinc.

La meilleure façon de les consommer est tel quel, entières ou moulues. Elles enrichissent les salades de fruits et de légumes, ainsi que les boissons préparées au mélangeur.

Les graines de lin

Elles contiennent de la vitamine F (acides gras insaturés). Elles sont utiles comme laxatif employées comme suit :

1 c. à soupe de graines de lin entières
1 litre d'eau

Faire bouillir le tout 10 minutes, couler le liquide et l'assaisonner avec du jus de citron frais ou du jus de légumes crus. Boire une tasse de ce liquide trois fois par jour, avant les repas.

Les graines de lin peuvent aussi être moulues et consommées, à raison d'une cuillère à thé par jour comme supplément. Elles sont alors très efficaces pour refaire la flore bactérienne. Elles peuvent s'employer ainsi moulues dans les biscuits, les rôtis, sur les céréales ou les salades de fruits.

Les graines de persil

Elles sont riches en vitamines A et C qui soulagent de nombreux maux, en particulier les gencives saignantes.

Les graines de sésame

Elles sont reconnues pour leur grande stabilité. Elles peuvent être stockées pour de longues périodes de temps sans rancir. Elles contiennent 45% de protéines et 55% d'huile.

Les graines de sésame sont riches en lécithine et en acides gras qui aident à dissoudre le cholestérol dans le corps. Elles sont aussi riches en calcium, phosphore, niacine, vitamine E et en méthionine (un acide aminé).

Elles sont très versatiles. Elles peuvent être utilisées comme un substitut de lait. Lorsqu'elles sont moulues, elles sont une source élevée de protéines que l'on peut saupoudrer sur les céréales, les fruits et les légumes. Le beurre de sésame, le tahini, se fabrique tout simplement en liquéfiant des graines de sésame non raffinées. Le tahini a la même consistance que le beurre d'arachide. De plus, on peut incorporer les graines de sésame entières dans les pains, les biscuits, les rôtis végétariens.

Les graines de tournesol

Elles sont riches en phosphore, calcium, fer, fluor,

iode, potassium, zinc et magnésium. Elles sont pauvres en sodium et contiennent 30% de protéines faciles à assimiler ainsi que de la thiamine (B_1), de la niacine (B_3), des vitamines E et D et des acides gras insaturés.

Elles ont un goût de noix très appétissant et peuvent être utilisées de nombreuses manières. Elles peuvent être mangées comme des noix, dans les salades, les biscuits, les gâteaux, les pains ainsi que dans les plats de résistance. Les graines de tournesol moulues peuvent être utilisées comme farine et remplacer dans une certaine proportion la farine régulière.

Toutes les graines (lin, sésame, citrouille, tournesol, chia) peuvent être moulues, selon les besoins, dans un petit moulin à café électrique.

La lécithine

La lécithine est un constituant naturel de toutes les cellules du corps. Le cerveau comporte énormément de lécithine (⅓ de son poids sec). Les graisses du foie sont composées à 70% de lécithine. Elle est aussi une source de choline, une substance qui permet la synthèse de l'acétylcholine, un médiateur chimique naturel qui permet la transmission des messages d'une cellule nerveuse à une autre. On croit qu'elle aide à dissoudre le cholestérol et à bien absorber les graisses et les vitamines liposolubles[4]. Le soja est une source naturelle de lécithine.

Les lentilles

Elles constituent une bonne source de protéines pour les végétariens. Elles fournissent au corps du fer et des vitamines B en abondance. Elles sont riches en cellulose. Elles germent très bien.

La levure alimentaire

La levure est une bonne source de vitamines B (en particulier de niacine), de protéines, de phosphore et de fer. Il existe plusieurs variétés de levure: Torula, de bière etc... Leur valeur à toutes est à peu près semblable, seul le goût change. Il ne faut pas la confondre avec la levure active sèche ou fraîche à pain.

Le maïs

Le maïs jaune est une bonne source de vitamine A. Les maïs jaune et blanc sont tous les deux une bonne source de vitamines B_1 et B_2. Le maïs est à conseiller dans des cas d'anémie, de constipation, d'amaigrissement. C'est un aliment bâtisseur du corps. Le maïs à éclater contient moins d'amidon que le maïs régulier. Lorsqu'il est éclaté l'amidon est transformé en dextrine. Correctement préparé à l'huile et assaisonné de sel et de levure alimentaire, il ne fait pas grossir.

Le millet

Voici un tableau qui vous convaincra de sa grande valeur nutritive:

Millet complet (100 g)

Eau (%)	11,8
Calories	327
Protéines	9,9 g
Graisses	2,9 g
Glucides	72,9 g
Fibres	3,2 g
Cendres	2,5 g
Calcium	20 mg
Phosphore	311 mg
Fer	6,8 mg
Sodium	—
Potassium	430 mg
Vitamine A	—
Thiamine	0,73 mg
Riboflavine	0,38 mg
Niacine	2,3 mg
Vitamine C	—

Le millet ne comporte pas de gluten et il est considéré comme une céréale hypo-allergène. Ses protéines, selon certains auteurs, comportent tous les acides aminés essentiels. Cette céréale est très digestible et semble être bien tolérée par les personnes à l'estomac nerveux et délicat. On considère que le millet favorise la reconstitution de la flore bactérienne intestinale et qu'il élimine la constipation.

Les recettes de ce livre font un usage considérable du millet, ce petit grain jaune au goût agréable lorsqu'il est bien cuit, et qui peut servir à la fabrication de plats savoureux tant salés que sucrés.

La noix de coco

C'est la plus grosse des noix. Elle pousse le long des côtes et les racines du cocotier se trouvent dans la mer ou tout près de la mer.

Elle est une bonne source de vitamines (B_1, B_2, B_3 et C), de minéraux (calcium, fer, phosphore) et de protéines.

L'huile de la noix de coco peut être utilisée comme beurre et comme gras dans la pâtisserie.

Les poivrons rouges et verts

Ils sont une bonne source de vitamine C, de bioflavonoïdes, de calcium et de vitamines A et B_1. Les poivrons rouges sont mûrs et par conséquent beaucoup plus digestibles que les verts. Il faut conserver les pépins et les utiliser dans tous les plats. (Ils sont riches en vitamines et en minéraux). On peut agrémenter de nombreux plats et en relever le goût en y mettant un poivron râpé.

Le pissenlit

Les feuilles vertes des jeunes pissenlits peuvent être ajoutées aux salades. Les fleurs jaunes d'or donnent un goût sucré à une salade, contrairement aux jeunes feuilles légèrement amères. Les fleurs de pissenlits sont une source de vitamine D.

Les racines de pissenlit bien lavées peuvent être grillées dans un four doux. Moulues et mises en poudre, elles peuvent être employées comme du café.

N'utilisez pas les pissenlits qui poussent dans des endroits arrosés d'herbicides. Ils restent toxiques pendant de nombreuses années.

La poudre de marante (Arrow-root)

Elle se fait à partir du tubercule d'une plante tropicale américaine. Ce n'est pas un produit raffiné mais une racine séchée et mise en poudre. Elle est riche en minéraux et de texture très fine.

La poudre de marante est un aliment nutritif facile à digérer et riche en calcium. Elle est utilisée largement dans l'alimentation des petits. On l'emploie à la place de la fécule de maïs pour épaissir les soupes, les sauces, etc...

La poudre à lever

L'usage du bicarbonate de soude n'est pas à recommander. Il entraîne une inflammation de l'estomac. De plus, de nombreuses poudres à lever contiennent des ingrédients dangereux tels que l'alun, la chaux et trop de sodium. Les poudres à lever sans alun sont plus acceptables.

Recettes de poudres à lever domestiques:

1)
- une partie de bicarbonate de potassium
- deux parties de crème de tartre
- deux parties de poudre de maranthe

Tamiser et utiliser comme tout autre poudre à pâte.

2)
- 2 c. à soupe de fécule de pommes de terre
- 1 c. à soupe d'acide tartrique (poudre blanche provenant du raisin et d'autres fruits.)
- 1 c. à soupe de bicarbonate de potassium

Tamiser et bien mélanger.

Le riz brun

Le riz brun naturel, non poli est une source d'hydrates de carbone complexes facilement assimilés. Sa composition est équilibrée, son goût agréable et il est de préparation facile.

Le riz n'a pas de gluten et comporte les huit acides aminés essentiels qui permettent l'utilisation effective des protéines. Il est l'aliment de base des contrées asiatiques. Sa richesse en minéraux en fait un aliment adéquat pour la santé des cheveux, de la peau, des ongles, des muscles et des os.

Une carence en vitamine B_1, cette vitamine abondante dans les polissures du riz, entrave le métabolisme des sucres et des amidons dans le corps. En l'absence de vitamine B_1, les gens sont dépressifs, querelleurs et dans un état de confusion mentale.

Le sarrazin

Le sarrazin est une céréale molle et elle ne requiert pas autant de cuisson que le millet ou les autres céréales.

Le département de l'Agriculture des États-Unis a affirmé que le sarrazin contient des protéines complètes dont la grande valeur biologique se compare à celle de la viande.

Le sarrazin est aussi riche en vitamines du complexe-B. Il est particulièrement apprécié à cause de sa teneur en rutine, un des bioflavonoïdes si important pour fortifier les capillaires sanguins, pour réduire la pression sanguine et soulager les varices.

Le sarrazin est une bonne source de magnésium, manganèse et zinc.

Le sel

Le sel de mer naturel est celui que l'on devrait toujours employer. On peut préparer un sel spécial utile à l'hypoglycémique en mélangeant dans la salière un tiers de sel marin, deux tiers de chlorure de potassium et une demi-cuillère à thé d'algues marines[5].

Substitut d'œuf

Pour remplacer un jaune d'œuf, utiliser une cuillère à soupe de beurre d'amande et une demi-cuillère à thé de jus de citron comme liant dans la cuisson.

Pour remplacer le blanc, utiliser la gelée de graines de lin que l'on fabrique ainsi: À cinq cuillères à soupe de graines de lin entières, ajouter trois tasses d'eau. Laisser mijoter 20 minutes. Passer au tamis et laisser refroidir.

Ceci peut être fouetté comme des blancs d'œufs, mais ne gardera pas ses pics une fois chauffé.

Sauce Tamari

C'est la sauce de soja authentique composée uniquement de blé, de soja et de sel. Il faut la distinguer de la sauce de soja commerciale qui peut contenir du sucre, du caramel, de la couleur et de la saveur artificielles. C'est la raison pour laquelle on la préfère à la sauce Tamari, considérée trop salée et pas assez brune. Il est important cependant de noter que la sauce Tamari est une source valable de vitamine B_{12}, très utile pour le végétarien. En effet, selon un article paru dans le *New England Journal of Medecine*[6] cette vitamine est manufacturée par des microorganismes présents dans la sauce Tamari. Il est ainsi possible d'obtenir 3 microgrammes de vitamine B_{12} dans une cuillère à thé de sauce Tamari (la dose quotidienne pour un adulte est de 3 à 6 microgrammes).

---

1. White Ellen G., *Conseils sur la nutrition et les aliments,* p. 295.
2. Dohan F.C., *The Biological Basis of Schizophrenia,* Ed. Gynneth Hemmings, W.A. Hemmings, MTP Press Ltd, Falcon House, Lancaster, England, p. 167-178, 1978.
3. Thrash Agatha (M.D.), *Eat... For Strength,* Felts Brothers Printing Company, Collegedale, Tennessee, 1979, p. 122-123.
4. *Almanach Nutrition,* Nutrition Search Inc., Mc Graw Hill, 1975, p. 181.
5. *Dr Donsbach tells you what you always wanted to know about STRESS* revised, The International Institute of Natural Sciences, Inc. 1981, p. 20.
6. *New England Journal of Medecine,* 7 décembre 1978 , p. 1319.

12

Recettes

Boissons

Lait de soja

Cette recette est pour deux litres de lait de soja

a) Faire tremper pendant 24 heures, 1 tasse de fèves sèches dans 3 tasses d'eau légèrement salée et garder au réfrigérateur (1 tasse de fèves sèches donne 2 tasses et demie de fèves trempées).

b) Prendre 1 tasse de fèves trempées et la pulvériser dans 4 tasses d'eau bouillante dans un mélangeur. Réchauffer auparavant le verre sous l'eau chaude. Obtenir un liquide onctueux et répéter jusqu'à épuisement des fèves.

c) Verser dans une casserole, préférablement dans un bain-marie, et cuire à feu doux pendant vingt minutes.

d) Refroidir et tamiser dans un coton à fromage. Bien exprimer le lait de la pulpe, assaisonner selon votre goût et garder au réfrigérateur.

Lait à la caroube

1 litre de lait de soja
2 c. à soupe de poudre de caroube
1 c. à soupe d'huile de tournesol
½ c. à thé de vanille

Mélanger le tout au mélangeur et servir chaud ou froid.

Lait aux bananes

(une portion)

1 banane mûre
¾ tasse de lait*
½ c. à thé de vanille

Passer le tout au mélangeur et saupoudrer d'amandes rapées.

Lait de sésame

1 tasse de graines de sésame
2 c. à soupe de raisins secs
3 tasses d'eau
une pincée de sel
½ c. à thé vanille

Liquéfier au mélangeur, passer au tamis et servir. On peut aussi aromatiser ce lait avec 1 c. à soupe de poudre de caroube ou des fruits frais.

Lait de noix de coco

1 tasse de noix de coco fraîche
3 tasses d'eau
2 dattes (dénoyautées)
une pincée de sel

Liquéfier au mélangeur. Passer et servir.

Boisson aux fruits de l'églantier

(une portion)

1 tasse de lait
1 c. à thé de poudre de fruits de l'églantier
2 c. à soupe de raisins secs
1 c. à thé de graines de tournesol

Liquéfier au mélangeur jusqu'à l'obtention d'une consistance onctueuse.

Boisson à la lécithine

2 tasses de lait de soja
1 c. à soupe d'huile de soja
2 c. à soupe de raisins secs
½ c. à thé de vanille
1 c. à soupe de levure Torula
2 c. à soupe de farine de soja grillée

Obtenir un liquide onctueux au mélangeur et servir froid.

Les substituts de café

Les racines de pissenlit rôties au four et mises en poudre ainsi que les fèves de soja rôties sont des excellents substituts de café. On peut également trouver dans le commerce diverses préparations de substituts de café sans mélasse ni sucre ajoutés.

Les tisanes

Pour faire une tisane, ajouter à chaque tasse d'eau bouillante:

1 c. à thé d'herbes séchées
ou
2 c. à thé d'herbes fraîches

Laisser infuser et ne pas faire bouillir. Passer à la passoire et servir chaud ou froid.

Un peu de jus de citron frais relève le goût.

Voici quelques combinaisons au goût agréable:

le trèfle rouge et la menthe verte
la luzerne et la menthe poivrée
les feuilles de framboisier et la menthe poivrée
la camomille et le trèfle rouge
le thym et la luzerne

Pains et petits pains « maison »

« Le pain constitue un des plus importants articles du régime. Il ne devrait jamais être omis de notre alimentation car il fournit des éléments vitaux presque impossibles à retrouver ailleurs. »

Les recettes suivantes vous offrent la possibilité de fabriquer votre pain vous-même. Étant donné que certains auteurs recommandent à l'hypoglycémique de mettre pour un temps de côté le blé au début de son régime, ces recettes vous introduisent à l'usage des céréales sans gluten: maïs, riz, millet, sarrazin. Il est de toute façon bon d'apprendre à utiliser toute une variété de céréales, plutôt que de faire un usage exclusif du blé. D'autre part, on ne peut oublier que certaines personnes, sans jamais le soupçonner ne tolèrent pas le gluten du blé, cette matière visqueuse constituée de protéines qui permet au pain de lever.

Ainsi, on peut fabriquer des pains avec des farines de riz, de millet, de maïs et de sarrazin, mais naturellement, ils ne lèveront pas et seront plutôt mastoc. Par contre, en ajoutant une certaine quantité de farine de blé à ces farines sans gluten, on arrive à obtenir des pains acceptables et délicieux.

Les farines de sarrazin, de riz, d'avoine et de millet s'obtiennent facilement en utilisant un bon moulin à café électrique. On peut ainsi les fabriquer au fur et à mesure de ses besoins et être assuré de leur fraîcheur.

Pour nourrir la levure on emploie dans ces recettes la purée de dattes ou de raisins secs. La purée de dattes s'obtient en liquéfiant au mélangeur 4 dattes dans ¼ de tasse d'eau. On peut de là même manière fabriquer une purée de raisins secs en employant 2 cuillères à soupe de raisins secs dans ¼ de tasse d'eau.

Pain de sarrazin

1 c. à soupe de levure sèche
½ tasse d'eau tiède
1 c. à soupe de purée de dattes

Faire tremper la levure sèche dans l'eau et la purée de dattes. Laisser reposer environ dix minutes jusqu'à ce que le liquide soit mousseux. Remuer alors le mélange jusqu'à ce qu'il soit clair et ajouter :

1 tasse d'eau chaude
1 c. à thé de sel
1 tasse de farine de sarrazin
2 tasses de farine de blé

Bien mélanger tous les ingrédients et pétrir fermement la pâte. Ajouter de la farine si nécessaire. Placer dans un endroit chaud pour laisser lever la pâte. Après 1 heure, former la pâte en pain et la placer dans un moule à pain. Laisser lever encore une fois. Cuire à 200°C (400°F) pendant 20 minutes, puis réduire la chaleur à 150°C (300°F) et cuire encore 40 minutes.

Pain de maïs

4 tasses d'eau chaude
2 c. à soupe de levure sèche
4 c. à soupe de purée de dattes
1/4 tasse d'huile
1/2 c. à thé de sel
2 tasses de farine de maïs
2 tasses de farine de blé

Laisser dissoudre la levure dans l'eau chaude. Mélanger les ingrédients secs. Mélanger les ingrédients liquides. Verser la levure, l'eau et l'huile sur les farines et le sel. Bien mélanger et verser dans un plat huilé.

Laisser lever. Cuire 40 minutes à 190°C (375°F).

Pain de riz

1 tasse d'eau chaude
2 c. à soupe de levure sèche
2 c. à soupe de purée de dattes
1 c. à thé de sel
1 tasse de riz complet cuit
2 c. à thé d'huile
1 tasse de farine de riz
1 tasse de farine de blé

Dissoudre la levure sèche dans l'eau et laisser reposer 10 minutes. Mélanger les autres ingrédients, verser la levure et l'eau sur ces ingrédients et pétrir 3 minutes. Former en pain. Laisser reposer et lever. Cuire au four à 180°C (350°F) pendant 45 minutes.

Petits pains au millet

2 tasses de millet cuit
1/2 tasses de graines de lin moulues
1/2 tasse de levure alimentaire
1/2 tasse de graines de sésame moulues
1 c. à thé de sel
1 c. à soupe de levure sèche
1/4 tasse d'eau chaude
1 c. à thé de purée de dattes

Mélanger tous les ingrédients et obtenir un mélange bien homogène.

Remplir des moules à «muffins». Cuire au four à 180°C (350°F) pendant 45 minutes.

Petits pains sans levain au millet

3 tasses de millet cuit
1/2 tasse de graines de tournesol moulues
1/2 tasse de son
1/2 tasse de levure alimentaire
1/2 tasse de graines de lin moulues
1 oeuf
1 c. à thé de sel

Bien mélanger le tout. Former en petites boules et les placer sur une tôle huilée. Aplatir les boules pour qu'elles deviennent minces et cuisent bien. Cuire au four à 180°C (350°F) pendant 45 minutes ou jusqu'à ce qu'elles soient brunies de chaque côté.

Petits pains à la farine de riz

2 tasses de farine de riz
2 c. à thé de poudre à lever sans alun
½ c. à thé de sel
2 c. à soupe de purée de raisins secs
2 œufs battus
1 tasse d'eau
4 c. à soupe d'huile
2 c. à soupe de son

Mélanger et tamiser les ingrédients secs. Mélanger les œufs, l'eau et l'huile et les ajouter aux ingrédients secs. Cuire dans des moules à «muffins» huilés à 220°C (425°F) pendant 20 minutes.

Petits pains au riz et au maïs

1 tasse de semoule de maïs
1 tasse de riz brun cuit
1 c. à soupe de farine de riz
une pincée de sel
3 tasses d'eau
2 c. à soupe d'amandes moulues
1 c. à soupe d'huile

Faire un mélange épais avec la semoule de maïs, le riz, le sel et ½ tasse d'eau. Incorporer les amandes moulues. Réchauffer le reste de l'eau et y ajouter peu à peu le mélange. Amener le tout à ébullition. Ajouter l'huile et continuer la cuisson environ 12 minutes jusqu'à ce que le mélange soit onctueux.

Retirer du feu. Laisser refroidir. Remplir des moules à «muffins» huilés. Cuire au four à 230°C (450°F) environ 25 minutes.

Pain de maïs aux carottes

1 tasse de carottes râpées finement
1 tasse de farine de maïs
2 c. à soupe d'huile
¾ tasse d'eau
1 c. à soupe de purée de dattes
1 c. à thé de sel
2 œufs

Mélanger tous les ingrédients exceptés les blancs d'œufs. Battre les blancs d'œuf en neige ferme et les incorporer au mélange. Verser dans un plat huilé et cuire 25 minutes dans un four à 200°C (400°F).

Pain de millet et graines de sésame

½ tasse d'eau chaude
2 c. à soupe de levure sèche
1 c. à soupe de purée de raisins secs
1 tasse de farine de millet
1 tasse de farine de blé
½ tasse de graines de sésame moulues
1 c. à thé de sel
1 c. à soupe d'huile
¼ tasse d'eau

Verser la levure sèche dans la demie tasse d'eau chaude et ajouter la purée de raisins secs. Laisser reposer 10 minutes. Bien mélanger le reste des ingrédients et ajouter le mélange de levure afin de faire une pâte moyennement épaisse. Former un pain et laisser reposer jusqu'à ce qu'il lève.

Réchauffer le four et cuire le pain à 230°C (450°F) pendant 15 minutes puis réduire la chaleur à 180°C (350°F) et cuire jusqu'à ce que le pain soit bien cuit.

Pain de blé

(sans sucre ni huile)

4½ tasses d'eau chaude

2 c. à soupe de blé germé séché et mis en poudre

2 c. à soupe de levure sèche

1 œuf battu

1 c. à soupe de sel

12 tasses de farine de blé entier

Dissoudre dans l'eau chaude la levure sèche et le blé germé séché en poudre. Laisser reposer le tout environ 10 minutes. Ajouter l'œuf battu et le sel. Remuer puis incorporer progressivement environ 5 tasses de farine. Battre le liquide vigoureusement pour bien développer le gluten et continuer à ajouter de la farine pour former une belle pâte prête à pétrir (environ 7 tasses).

Pétrir 10 minutes puis laisser lever dans un endroit tiède environ 3 heures. Abaisser la pâte et la laisser lever à nouveau environ 2 heures. Abaisser encore une fois et diviser en 16 petites boules. Les placer sur une tôle bien enfarinée (plutôt que huilée).

Les laisser lever du double environ 30 minutes, les mettre au four chaud à 200°C (400°F) pendant 10 minutes puis diminuer la chaleur à 160°C (325°F) et laisser cuire encore 35 minutes.

Sortir du four et laisser refroidir sur une grille. Ne pas les ranger immédiatement mais les laisser à l'air libre au moins 24 heures. Le processus de fermentation laisse dans le pain des substances volatiles qui s'évaporent complètement en un à trois jours. Après cela, le pain est beaucoup plus digestible et sain et plus facile à couper.

Pain au blé germé

1 tasse d'eau amenée à ébullition
2 c. à soupe d'huile
2 c. à soupe de purée de dattes
1 c. à thé de sel
2 c. à soupe de levure sèche
¼ tasse d'eau chaude
1 œuf battu
3 à 4 tasses de farine de blé
1 tasse de blé germé

Dissoudre la levure sèche dans ¼ tasse d'eau chaude. Mélanger les ingrédients liquides et ajouter graduellement la farine et le blé germé. Obtenir une pâte molle. Bien pétrir, former en pains et placer dans des moules huilés. Placer dans un four chaud et laisser lever.

Cuire à four modéré 180°C (350°F) pendant environ une heure.

Pain de millet aux carottes

1 tasse de farine de millet
¾ tasse d'eau bouillante
3 œufs
½ tasse de farine de blé
1 c. à thé de poudre à lever sans alun
3 c. à soupe d'huile
1 c. à thé de purée de dattes
½ c. à thé de sel
1 tasse de carottes très finement râpées

Verser l'eau sur la farine de millet et laisser refroidir. Mélanger la farine de blé avec la poudre à lever sans alun. Ajouter les 3 jaunes d'œufs, l'huile, la purée de dattes, le sel et les carottes râpées. Puis finalement ajouter la farine de millet trempée dans l'eau et les blancs d'œufs battus en neige.

Verser ce mélange dans un moule à pain huilé et cuire dans un four pré-chauffé à 190°C (375°F) pendant 40 minutes.

Crêpes saines

3 œufs

1½ tasse d'eau

½ c. à thé de sel

1 c. à soupe de germe de blé

1 c. à soupe d'huile

½ tasse de farine de sarrazin

½ tasse de farine de riz

Mélanger les ingrédients secs. Faire un puits au centre et ajouter les jaunes d'œufs, le lait et l'huile. Bien incorporer aux ingrédients secs. Battre les blancs d'œufs en neige et incorporer au mélange. La pâte devrait être lisse et peu épaisse. Verser ½ tasse de pâte pour chaque crêpe et les griller de chaque côté.

Crêpes de pommes de terre

1½ tasse de pommes de terre crues râpées

½ tasse de carottes crues râpées

1 c. à soupe d'oignon cru râpé

2 c. à soupe de farine de riz

2 c. à soupe de germe de blé

3 c. à soupe de persil haché

¼ c. à thé d'estragon

4 œufs légèrement battus

2 c. à soupe d'huile

Bien mélanger tous les ingrédients. Cuire dans une grande poêle chaque crêpe et la faire griller de chaque côté.

Crêpes aux graines de chia

Placer dans le mélangeur:

1½ tasse d'eau
2 c. à soupe de purée de dattes
2 c. à soupe de graines de chia
¼ tasse de noix d'acajou
¾ c. à thé de sel
1 c. à thé de jus de citron
1 c. à thé de vanille
3 c. à soupe d'huile
½ tasse de semoule de maïs
½ tasse de farine de sarrazin

Rendre le mélange onctueux. Les graines de chia font épaissir le mélange et rendent les crêpes légères. Avec ce mélange confectionner des crêpes.

Galettes chaudes de sarrazin

4 œufs
1½ tasse d'eau
⅔ tasse de farine de sarrazin
2 c. à soupe de purée de dattes
2 c. à soupe d'huile
¼ tasse de graines de lin moulues
⅓ tasse de son
1 c. à thé de sel
½ tasse de germe de blé

Battre les blancs d'œufs en neige ferme. Ajouter l'eau aux jaunes d'œufs et battre jusqu'à ce qu'ils soient mousseux. Ajouter l'eau et les ingrédients secs alternativement. Ajouter l'huile et les blancs d'œufs. Verser à la cuillère sur une plaque chaude et cuire les galettes.

« Granola Extra »

3 tasses de flocons d'avoine

1 tasse de graines de tournesol

½ tasse de graines de lin

1 tasse de noix de coco râpée sans sucre

½ tasse d'eau

10 dattes dénoyautées

2 c. à soupe de lécithine en granules

une pincée de sel

1 c. à thé de vanille

Liquéfier dans le mélangeur les dattes, le sel, la lécithine et la vanille. Bien mélanger les autres ingrédients et ajouter le liquide. Étaler le tout en couche mince sur une tôle à biscuits.

Dorer au four à 180°C (350°F) en remuant de temps en temps.

Craquelins aux graines de sésame

Mélanger dans le mélangeur:

½ tasse d'eau

6 c. à soupe d'huile

3 œufs

½ c. à thé de sel

Retirer du mélangeur et ajouter:

1½ tasse de farine de blé

½ tasse de farine de riz

½ tasse de son

½ tasse de graines de sésame moulues

Bien mélanger et pétrir. Rouler entre des feuilles de papier ciré en couches minces. Marquer les carrés. Cuire à 180°C (350°F) environ 15 minutes. Saupoudrer des graines de sésame sur les carrés.

Craquelins de maïs

1 tasse de riz brun cuit
2 tasses d'eau
2 c. à soupe de graines de sésame moulues
2 c. à soupe de noix de coco râpée
4 c. à soupe d'huile
2 œufs
1 c. à soupe de purée de raisins secs
1 c. à thé de sel
1¼ tasse de semoule de maïs jaune

Liquéfier dans le mélangeur tous les ingrédients excepté la semoule de maïs. Lorsque le liquide est onctueux ajouter la semoule graduellement et liquéfier à nouveau.

Verser ce liquide dans des plats huilés sur une épaisseur de 6 mm (¼ de pouce) seulement. Cuire à 190°C (375°F) pendant 25 minutes environ.

Retirer du four et couper en carrés.

Le maïs éclaté

Le maïs éclaté est une bonne céréale entière pour peu qu'on le prépare sainement. On peut employer de l'huile à la place du beurre pour le faire éclater et apprendre à le consommer assaisonné de sel et de levure alimentaire. C'est délicieux.

Le maïs éclaté est un excellent substitut de pain dans certaines recettes, particulièrement pour ceux qui ne peuvent consommer du gluten. Il remplace très bien les croûtons dans la soupe et pour farcir certains aliments. Mis en poudre au mélangeur, il constitue une bonne chapelure.

Il sert aussi de base à un très fin «Magnola» et remplace alors le flocon d'avoine, lui aussi souvent mal toléré par certains hypoglycémiques. Le flocon d'avoine est une cause assez fréquente d'allergie.

« Magnola »

Prendre du maïs éclaté et le déchiqueter par petites quantités, quelques secondes, à la plus basse vitesse au mélangeur. Prendre 3 tasses de ces flocons de maïs et les substituer aux trois tasses de flocons d'avoine dans la recette du « granola extra ». Procéder ensuite de la même manière. Garder au frais et au sec.

Servir tout comme le « granola extra » avec des fruits frais (pommes, poires, pêches, bananes etc.) coupés en petits morceaux. Point de lait. Point de miel. C'est délicieux.

Salades, sauces, trempettes et vinaigrettes pleines de zeste.

Dans ces recettes, le vinaigre est volontairement remplacé par du jus de citron. Le vinaigre empêche l'action correcte de la salive et une seule cuillère à thé d'acide acétique (vinaigre) peut arrêter la digestion des hydrates de carbone dans un repas. Le vinaigre entrave aussi la digestion des protéines. Il n'y a pas, à ce niveau, de différence entre le vinaigre blanc, le vinaigre de cidre ou le vinaigre de vin.

Mayonnaise saine

2 jaunes d'œufs
1 c. à thé de sel
2 c. à soupe de jus de citron
1 tasse d'huile

Mélanger tous les ingrédients excepté l'huile. Ajouter l'huile goutte à goutte jusqu'à l'obtention de la consistance désirée.

« Citronnette » simple

½ tasse d'huile
¼ tasse de jus de citron
1 c. à thé de sel
1 petite gousse d'ail
1 c. à thé de persil frais
1 c. à soupe d'échalotes fraîches

Mélanger le tout au mélangeur.

Mayonnaise sans œuf

½ tasse de noix d'acajou moulues
1 tasse d'eau
½ c. à thé de sel d'oignon
¼ c. à thé d'ail
le jus de 2 citrons
1 c. à thé de sel
1 tasse d'huile

Mélanger tous les ingrédients puis ajouter l'huile goutte à goutte jusqu'à ce que la mayonnaise soit épaisse.

Vinaigrette rouge

Liquéfier au mélangeur:

1 petit pot de poivrons rouges cuits
(ou 1 tasse de jus de tomate)
2 c. à soupe de jus de citron
1 tasse d'huile
½ c. à thé de sel

Mélanger jusqu'à ce que la vinaigrette soit lisse.

Sauce tomate

1 tasse de jus de tomate

1/3 tasse de graines de tournesol moulues

1/4 c. à thé d'estragon

du sel au goût

Mettre tous les ingrédients dans une casserole et faire mijoter jusqu'à ce que la sauce soit épaisse.

Trempette au fromage blanc

1 tasse de fromage blanc
1 tasse d'eau froide

Bien mélanger puis ajouter:

1/2 tasse d'oignons verts hachés
1 c. à soupe d'huile
1 c. à soupe de lécithine en granules

Bien mélanger au mélangeur.

Sauce verte

1/2 tasse de verdures fraîches

1/2 tasse de persil frais

1/2 tasse d'oignons verts hachés

1/2 c. à thé d'estragon et de thym

1/2 c. à soupe de jus de citron

1 jaune d'œuf

Mélanger tous les ingrédients dans le mélangeur et ajouter de l'huile goutte à goutte pour obtenir la consistance voulue.

Délicieux sur du brocoli cuit à la vapeur.

Tahini

Moudre dans un moulin à café électrique des graines de sésame jusqu'à l'obtention d'une pâte épaisse, semblable à du beurre d'arachide. C'est une source de protéines de bonne qualité.

Trempette au tahini

1 tasse de pois chiches cuits mis en purée
½ tasse de tahini
½ c. à thé de sel
le jus d'un citron
1 c. à thé de persil haché
1 gousse d'ail pilé

Mélanger tous les ingrédients et servir sur des légumes crus ou cuits à la vapeur.

Salade de pommes de terre

6 pommes de terre moyennes cuites à la vapeur
1 oignon haché
½ gousse d'ail
1 c. à thé de persil haché
4 c. à soupe d'huile
2 c. à soupe de jus de citron
½ c. à thé de sel
¼ c. à thé de sauge

Couper en tranches les pommes de terre pelées. Ajouter l'oignon, l'ail, les assaisonnements et le jus de citron. Bien mélanger le tout. Garnir d'épinards ou de pissenlits frais.

Salade de concombres

2 concombres moyens
1 c. à soupe persil haché
1 c. à soupe ciboulette hachée
½ c. à thé de sel
1 c. à soupe d'huile
½ c. à thé de levure alimentaire

Râper les concombres et ajouter les autres ingrédients. Mélanger et laisser reposer ½ heure avant de servir.

Salade de chou

2 tasse de chou haché finement
⅓ tasse de noix d'acajou hachées
½ tasse de céleri haché
¼ tasse de poivron vert haché
1 c. à soupe d'oignon haché
¼ c. à thé de sel

Bien mélanger le tout et arroser d'une citronnette simple.

Salade de chou-fleur

1 petit chou-fleur râpé
1 tasse d'avocat en cubes
½ poivron vert en cubes
½ tasse de carottes râpées
2 oignons verts hachés
½ c. à thé de sel

Bien mélanger et garnir avec de la mayonnaise saine.

Salade de germes de luzerne

2 tasses de luzerne germée
1 tasse de carottes râpées
1 tasse de tomates fraîches

Mélanger le tout et arroser de vinaigrette rouge.

Salade verte aux germes

une laitue Romaine
quelques tiges de cresson
1 oignon vert haché
1 tasse de germes de luzerne
1 tasse de carottes râpées
¼ tasse de persil haché finement

Déchiqueter la laitue dans un bol bien frotté avec une gousse d'ail. Ajouter les autres ingrédients. Arroser de mayonnaise simple.

Remuer délicatement et servir immédiatement.

Délice aux germes de luzerne

½ tasse de luzerne germée
1 brin de menthe
1 tasse de jus de légumes

Mélanger ces ingrédients dans le mélangeur. D'autre part dissoudre 1 c. à thé d'agar-agar dans ½ tasse d'eau froide. Faire bouillir quelques minutes jusqu'à ce qu'il soit dissout et clarifié. Refroidir et ajouter dans le mélangeur aux germes. Verser dans un plat humecté.

Laisser reposer jusqu'à ce que ça soit ferme. Démouler sur un lit de laitue. Encercler de carottes râpées. Garnir avec de la mayonnaise et des olives.

Salade de pissenlit

1 tasse de jeunes feuilles de pissenlit hachées
2 c. à soupe d'huile de tournesol
2 c. à soupe de jus de citron
1 c. à thé de cerfeuil ou de persil frais
1 c. à thé d'échalotes hachées

Frotter l'intérieur d'un bol à salade en bois avec une gousse d'ail. Bien mélanger les pissenlits à la vinaigrette. Servir immédiatement. On peut servir ainsi de nombreuses herbes sauvages: la poulette grasse, le plantain (très jeune), le cresson.

Aspic de concombre

2 c. à soupe d'agar-agar
1 tasse d'eau
4 concombres moyens
¾ tasse de mayonnaise
1 c. à thé de sel
2 c. à soupe d'oignon râpé
une petite gousse d'ail écrasée

Réchauffer l'agar-agar à feu doux dans l'eau. Couper le concombre en morceaux. Le placer avec l'eau et l'agar-agar dans le mélangeur et le mettre en purée. Ajouter la mayonnaise et le reste des ingrédients.

Refroidir jusqu'à ce que le tout soit épaissi. Incorporer ¾ tasse de yogourt. Mettre dans un moule à salade et refroidir à nouveau.

Démouler et servir garni de tranches de concombre et de cresson.

Hors-d'œuvre au concombre

2 concombres moyens
2 oignons verts hachés
½ tasse de persil haché
½ tasse de céleri finement découpé
½ c. à thé d'aneth
½ c. à thé de sel
½ c. à thé de persil haché

Couper les concombres en tranches de 2 cm. Mélanger tous les ingrédients et servir garni de persil frais ou de cresson.

Soupes réconfortantes

Soupe croquante

1 tasse d'eau
1 petite pomme de terre
1 poivron rouge
1 poivron vert
½ c. à thé de sel
¼ c. à thé de thym
1 oignon haché
¼ tasse de chou
1 c. à soupe d'huile
1 à 2 tomates mises en cubes

Faire revenir l'oignon et le chou jusqu'à ce qu'ils soient tendres. Ajouter les tomates en cubes et faire mijoter. Mettre de côté. D'autre part, brosser la pomme de terre et la mettre en cubes. Laver les poivrons. Ne rejeter que la queue et conserver les pépins. Les couper en morceaux. Cuire les légumes dans l'eau avec les assaisonnements pendant 5 minutes. Ajouter le premier mélange au second et faire mijoter brièvement. Les légumes restent croquants.

Soupe aux petits pois

2 tasses de petits pois frais ou congelés (sans sucre)
⅔ tasse de noix d'acajou
2 tasses d'eau
1 c. à thé d'algues marines
¼ c. à thé de poudre d'ail
½ c. à thé de sel
1 c. à soupe d'huile

Mélanger jusqu'à l'obtention d'une consistance onctueuse. Réchauffer mais ne pas faire bouillir.

Soupe à la tomate et à l'avocat

4 tasses de jus de tomate
1 petit avocat mûr
1 c. à thé d'échalotes hachées
1 tasse de lait

Réchauffer le jus de tomate, ajouter le sel et les échalotes. Liquéfier l'avocat avec le lait. Verser dans le jus de tomate réchauffé en remuant rapidement. Ne pas amener à ébullition.

Crème aux tomates

1 tasse de noix d'acajou
2 tasses d'eau
1 c. à soupe de poudre d'oignon
½ c. à thé de sel
3 tasses de jus de tomate ou de tomates fraîches

Mélanger tous les ingrédients excepté les tomates. Lorsque le mélange est lisse ajouter les tomates. Amener à ébullition, mais ne pas faire bouillir.

Crème aux légumes

2 pommes de terre moyennes bien nettoyées mais non pelées et coupées en petits morceaux
1 tasse de persil haché
2 oignons hachés finement
4 bâtons de céleri en petits morceaux
1 tasse de verdures vert foncé (fanes)

Recouvrir d'eau et faire mijoter à feu doux, passer au presse-purée ou au mélangeur. Assaisonner au goût.

Soupe aux légumes

1 tasse de pommes de terre en tranches
1 tasse de carottes en tranches
2 oignons hachés
1 tasse de céleri haché
½ tasse de persil haché
2 tasses de tomates
4 tasses d'eau
2 c. à soupe d'huile

Faire mijoter tous les ingrédients, excepté l'huile et le persil, jusqu'à ce qu'ils soient tendres. Lorsqu'ils sont prêts ajouter le persil et l'huile. Si la soupe est trop épaisse ajouter un peu plus d'eau. Saler au goût.

Soupe aux champignons

2 tasses de champignons émincés
½ tasse d'oignon haché
1 tasse de céleri haché
2 c. à soupe d'huile
2 c. à soupe d'eau
2 c. à soupe de noix d'acajou
2 tasses d'eau
2 tasses de lait
1 c. à thé de sel
¼ c. à thé de persil
½ c. à thé de sauce Tamari

Faire revenir les champignons, le céleri et les oignons dans l'huile et 2 c. à soupe d'eau. Liquéfier les noix d'acajou avec les 2 tasses d'eau. Mettre les champignons dans une casserole avec les autres ingrédients. Cuire à feu très doux. Ajouter le sel, le persil, la sauce de soja, le lait et réchauffer complètement.

Soupe au beurre d'arachide

¼ tasse d'oignon haché
2 c. à soupe d'huile
1 c. à soupe de farine de riz
1½ c. à thé de levure alimentaire
½ tasse de beurre d'arachide
2 tasses de lait
2 tasses de jus de tomate

Faire revenir les oignons jusqu'à ce qu'ils soient tendres, ajouter la farine et la levure. Incorporer le beurre d'arachide. Ajouter peu à peu le lait, en remuant. Cuire jusqu'à ébullition et épaississement. Ajouter le jus de tomate et donner un bouillon avant de servir.

Légumes nourrissants et appétissants

Fromages végétaux

Le fromage employé dans ces recettes est appelé un fromage «naturel». Il doit être très frais, très doux et non fermenté. On peut le remplacer très avantageusement par du tofu, un fromage de soja hypoallergène et totalement dépourvu de cholestérol ou encore par les fromages végétaux dont nous donnons les recettes.

Tofu

À un litre de lait de soja très chaud ajouter le jus d'un demi-citron ou ½ c. à thé de nigari (ou de lactate de calcium ou de sel d'Epsom) mélangé à un peu d'eau chaude. Verser dans le lait et remuer très peu. Laisser reposer puis passer à travers une mousseline. Le petit lait s'égoutte et la caille se ramasse dans le coton. Plus elle est égouttée plus le fromage est dur.

Conserver le tofu dans un sac en plastique hermétiquement scellé, déposé dans un plat d'eau froide au réfrigérateur. Un litre de lait donne environ ¾ tasse de tofu.

Fromage de soja et de noix d'acajou [1]

3/4 tasse de noix d'acajou moulues
1 oignon moyen
3/4 tasse de lait (de soja ou autre)
1/2 tasse de farine de millet
2 tasses de riz brun cuit
1/4 c. à thé de graines de céleri
1 tasse de tofu
1 c. à thé de persil émincé
1 c. à thé de paprika
1/4 c. à thé de thym
1/4 c. à thé de cumin
1 c. à soupe de sauce Tamari

Mettre en purée l'oignon dans le lait et mélanger tous les ingrédients en ajoutant du sel au goût. Laisser reposer 15 minutes et placer le tout bien tassé dans un moule en pyrex huilé.

Cuire au four à 160°C (325°F) une heure et demie jusqu'à ce que ça soit ferme au centre. Démouler. Laisser refroidir. Couper en tranches minces.

Excellent comme base de sandwich.

Fromage dur à râper [2]

1/3 tasse de jus de citron frais
1 tasse de tomates cuites
1 c. à thé de sel
1/2 c. à thé de poudre d'oignon
1/2 tasse de noix d'acajou émiettées
1 petite pomme de terre cuite
1/4 d'avocat

Bien mélanger au mélangeur jusqu'à l'obtention d'une texture onctueuse.

Placer 1 1/2 tasse d'eau chaude dans une casserole.

Ajouter 2½ c. à soupe d'agar-agar. Amener à ébullition et faire bouillir une minute. Ajouter ce mélange au premier dans le mélangeur et bien mélanger le tout.

Sans tarder verser le mélange dans un moule et le placer au réfrigérateur pour qu'il durcisse. Vous obtiendrez une brique de fromage qui peut être tranchée, râpée et utilisée comme du fromage dur.

Fromage fondant[3]

¼ tasse d'agar-agar

1 tasse d'eau

¾ tasse de graines de tournesol moulues

1 petit pot de poivrons rouges cuits

1 c. à thé de sel

1 c. à thé de poudre d'oignon

1 tasse d'huile

½ tasse de jus de citron

Faire tremper l'agar-agar environ 5 minutes dans de l'eau puis l'amener à ébullition jusqu'à ce que le liquide soit clair.

Alors que l'agar-agar bout, placer les graines de tournesol moulues, les poivrons rouges cuits, le sel et la poudre d'oignon dans le mélangeur et bien les liquéfier. Ajouter l'agar-agar chaud et faire tourner encore 30 secondes. Ajouter l'huile puis en dernier le jus de citron. Verser immédiatement dans un moule et placer au réfrigérateur pour que ça durcisse.

Ce «fromage» se tranche, il se met en cubes, il fond. Il est excellent pour les pizzas ou les sandwichs au fromage grillé.

Fromage à tartiner[4]

1 tasse de graines de tournesol moulues
½ tasse d'eau
½ c. à thé de sel
une pincée de poudre d'ail
un petit pot de poivrons rouges cuits
½ c. à thé de poudre d'oignon

Bien mélanger et obtenir un mélange onctueux. Ajouter 2 c. à thé de jus de citron. Mélanger. Garder au réfrigérateur.

Fromage aux noix d'acajou

Faire tremper 2 c. à soupe d'agar-agar dans 1 tasse d'eau froide pendant 5 minutes.

Mettre dans le mélangeur:

1 tasse d'eau froide
1 tasse de noix d'acajou moulues
½ tasse de pâte de tomate
½ tasse d'huile
½ c. à thé de sel
¼ c. à thé d'ail
2 c. à soupe de jus de citron

Bien mélanger tous les ingrédients sauf l'huile. L'ajouter en dernier.

Cuire l'agar-agar jusqu'à ce que le liquide soit clair. Lorsqu'il est refroidi, l'ajouter au mélange dans le mélangeur et verser immédiatement dans un plat en pyrex. Laisser bien prendre au réfrigérateur.

Asperges et riz

500 g de pointes d'asperges lavées
3 tasses d'eau
½ c. à thé de sel
1 petit oignon émincé
½ c. à thé de sel
1 gousse d'ail émincé
1 tasse de riz cuit
1 petit pot de poivrons rouges cuits

Cuire les asperges dans l'eau salée et lorsqu'elles sont tendres, les mettre de côté. Garder le liquide de cuisson.

Faire sauter l'oignon et l'ail émincés, ajouter 1 tasse de riz cuit et verser sur le tout le liquide de cuisson des asperges. Verser dans un plat et cuire au four à 200°C (400°F) pendant 15 minutes.

Retirer du four et incorporer au riz les poivrons rouges cuits. Remettre au four encore pendant 20 minutes.

Asperges à la crème d'acajou

¼ tasse de crème fraîche
2 c. à soupe de jus de citron
¼ c. à thé de marjolaine
¼ tasse de noix d'acajou moulues
500 g d'asperges

Faire chauffer la crème dans une petite casserole et ajouter le jus de citron, la marjolaine et les noix d'acajou moulues. Faire mijoter sur un feu très doux 2 minutes, puis verser sur les asperges chaudes et cuites à la vapeur.

Asperges à la crème d'oignon

1/4 tasse de crème fraîche
1 c. à thé d'oignon émincé
1/4 c. à thé de sauce Tamari
500 g d'asperges

Mélanger la crème fraîche et l'oignon dans une petite casserole. Faire cuire à feu doux. Ajouter la sauce Tamari et verser le tout sur des asperges cuites à la vapeur.

Gratin d'asperges

une vingtaine de pointes d'asperges
1 tasse de lait
1 petit oignon émincé
1/2 tasse de fromage
5 œufs
1 c. à thé de sel
1/4 c. à thé de basilic en poudre

Placer les pointes d'asperges dans le fond d'un plat profond et verser par dessus les œufs battus et le reste des ingrédients. Cuire au four à 160°C (325°F) pendant 30 minutes.

Asperges et haricots verts

1 tasse de pointes d'asperges, cuites à la vapeur
1 tasse de haricots verts, cuits à la vapeur
2 c. à soupe de jus de citron
1/2 tasse de champignons hachés
1/4 tasse de persil haché
1 c. à thé de sel
1/2 c. à thé de thym

Mélanger les haricots verts, les asperges et le jus de citron, dans le mélangeur et les mettre en purée. Ajouter les assaisonnements.

Servir froid, garni avec les champignons et le persil.

Soufflé aux carottes

2 tasses de carottes râpées
1 c. à soupe d'huile
3 c. à soupe d'eau
1 c. à thé de sel
1 c. à soupe d'échalotes hachées
4 c. à soupe de farine de riz
1 tasse de lait
4 œufs

Mélanger les carottes, l'huile, l'eau, le sel et les échalotes. Cuire à feu moyen jusqu'à ce que les carottes soient tendres. Ajouter doucement le lait et la farine et cuire jusqu'à épaississement.

Retirer du feu et incorporer les 4 jaunes d'œufs. Battre les 4 blancs en neige jusqu'à ce qu'ils soient fermes. Les ajouter aux carottes. Verser le tout dans un plat huilé et cuire 35 minutes à 190°C (375°F).

Courge à l'anis

3 tasses de courge cuite à la vapeur
2 c. à soupe d'huile
¼ c. à thé de graines d'anis
¼ tasse de crème fouettée
1 c. à thé de sel

Faire chauffer l'huile dans une casserole sur un feu doux. Ajouter le reste des ingrédients et cuire à découvert 4 à 6 minutes. Servir chaud.

Haricots verts au fromage

3 tasses de haricots vers cuits
3 c. à soupe d'huile
¼ tasse d'oignon émincé
250 g de champignons émincés
3 c. à soupe de farine de riz ou de sarrazin
1 c. à thé de sel
⅛ c. à thé de thym et de marjolaine
1 tasse de lait
1 tasse de fromage râpé

Faire revenir l'oignon et les champignons dans l'huile jusqu'à ce qu'ils soient tendres. Incorporer la farine, le sel et les herbes aux champignons. Peu à peu verser le lait. Cuire jusqu'à épaississement. Retirer du feu et ajouter ½ tasse de fromage.

Arranger les haricots dans un plat peu profond. Verser la sauce au fromage dessus et garnir avec le reste du fromage. Cuire au four à 200°C (400°F) environ 10 minutes.

Fèves germées au sarrazin

3 c. à soupe de graines de sésame écrasées et rôties
2 échalotes hachées finement
1 gousse d'ail émincé
1 c. à soupe d'huile
1½ tasse de fèves germées fraîches
2 tasses de sarrazin cuit et chaud
2 c. à soupe de sauce Tamari

Mélanger les graines de sésame avec les échalotes et l'ail et les faire revenir dans l'huile 3 minutes. Ajouter les fèves germées et faire revenir jusqu'à ce qu'elles soient chaudes.

Ajouter la sauce Tamari et le sarrazin chaud et mélanger avec délicatesse. Servir immédiatement.

Chop suey

1 tasse de céleri haché
1 tasse d'oignons hachés
1 tasse de verdures chinoises (chou chinois, etc.)
1 tasse de chou en lanières
1 tasse de champignons tranchés
2 c. à soupe de sauce Tamari
1 tasse de poivron vert en cubes
1 tasse de fèves germées
½ c. à thé de sel

Faire mijoter tous les légumes dans 1 tasse d'eau pendant 10 minutes. Ajouter ensuite les fèves germées. Lorsque le tout est cuit, servir sur du millet cuit ou du riz brun.

Brocoli à la sauce au fromage

3 tasses de brocoli cuit à la vapeur
1 c. à soupe d'huile
4 c. à soupe de noix d'acajou pulvérisées
¼ c. à thé de sel
1 tasse de lait
¾ tasse de fromage râpé
2 c. à soupe de jus de citron

Mettre l'huile, les noix d'acajou, le sel dans la casserole et ajouter peu à peu le lait. Cuire jusqu'à ce que la sauce s'épaississe légèrement. Ajouter le fromage et le jus de citron.

Verser sur le brocoli chaud et servir immédiatement.

Soufflé de brocoli

2 tasses de brocoli cuit à la vapeur
2 c. à soupe d'huile
2 c. à soupe de graines de tournesol pulvérisées
½ c. à thé de sel
1 tasse de lait
1 c. à soupe d'oignon râpé
¼ tasse de mayonnaise maison
3 œufs bien battus

Mélanger l'huile, les graines de tournesol et le sel, y ajouter graduellement le lait et cuire jusqu'à épaississement. Retirer du feu et incorporer l'oignon, la mayonnaise et les œufs battus. Incorporer délicatement le brocoli.

Placer le tout dans un plat à gratin et cuire au four environ 30 minutes à 180°C (350°F) ou jusqu'à ce que le flanc soit ferme.

Chou au fromage

2 c. à soupe d'huile
1 chou moyen coupé en lanières
1 petit paquet de fromage à la crème
½ c. à thé de sel
1 c. à thé d'échalotes

Dans une casserole faire réchauffer l'huile et ajouter le chou. Couvrir et cuire à feu vif jusqu'à ce que le chou se ramollisse. Remuer pour bien cuire tout le chou.

Retirer du feu et écraser rapidement le fromage à la fourchette dans le chou. Bien mélanger puis ajouter les assaisonnements.

Chou-fleur croûté

3 tasses de chou-fleur cuit à la vapeur

1/2 tasse de bouillon de légumes

1/2 tasse de fromage râpé

1/2 tasse de graines de tournesol moulues

4 c. à soupe de levure alimentaire

1 c. à thé de sel

1/2 tasse de millet cuit

Placer le chou-fleur dans un plat à gratin. D'autre part, mélanger le millet au reste des ingrédients et le verser sur le chou-fleur. Cuire 25 minutes au four à 180°C (350°F).

Omelette aux pissenlits

Faire revenir dans un peu d'huile une douzaine de boutons de fleurs de pissenlits pendant 2 à 3 minutes. Bien retourner pour qu'ils cuisent de tous les côtés.

Dans un bol battre 4 œufs avec 3 c. à soupe de lait jusqu'à ce qu'ils soient légers. Ajouter le sel et cuire les œufs comme une omelette. Lorsqu'ils sont fermes, placer les boutons sur la moitié de l'omelette puis la plier en deux et servir.

Okra et riz

2 tasses de riz brun cuit

1 tasse d'okra

1/2 tasse de jus de tomate

1 c. à thé de sel

2 c. à soupe d'huile

1 oignon moyen, haché et sauté.

Mélanger tous les ingrédients et les placer dans un plat à gratin. Cuire à 180°C (350°F) pendant 45 minutes.

Ragoût d'aubergine

une aubergine
un gros oignon émincé
1 tasse de céleri haché
½ tasse de carottes râpées
3 c. à soupe d'huile
1 tasse d'eau
1 c. à thé de sel
1 c. à thé de marjolaine
½ tasse de jus de tomate

Cuire tous les ingrédients à feu doux puis ajouter l'aubergine de grosseur moyenne mise en cubes. Continuer la cuisson encore 30 minutes jusqu'à ce que le tout soit cuit.

Pizza aux aubergines

Couper une aubergine de grosseur moyenne en tranches d'environ 7 mm d'épaisseur. Les griller au four. Placer les tranches sur une croûte précuite de millet. Garnir de tranches de tomates fraîches, de fromage râpé, d'oignon et de sel selon le goût.

Remettre au four et cuire jusqu'à ce que le fromage soit fondu et légèrement grillé. Servir immédiatement.

Aubergine en cocotte

Couper une aubergine moyenne en tranches, saupoudrer chaque tranche de levure alimentaire et les faire revenir à la poêle chaude dans un peu d'huile.

Placer les tranches dans un plat à gratin. Les saler au goût et les recouvrir de jus de tomate. Cuire au four à 180°C (350°F), 30 à 45 minutes.

Aubergine au fromage

une aubergine moyenne coupée en cubes
5 c. à soupe d'huile
2 poivrons rouges ou verts coupés en cubes
un gros oignon coupé en cubes
1 tasse de jus de tomate
1 tasse de millet cuit
1 c. à thé de sel
½ tasse d'eau
1 tasse de fromage râpé

Faire revenir l'oignon et les poivrons jusqu'à ce qu'ils soient tendres. Ajouter l'aubergine, le jus et l'eau et faire mijoter 15 minutes. Incorporer le fromage râpé et cuire 5 minutes.

Servir sur un lit de millet cuit et chaud.

Poivrons farcis au millet

Cuire 6 poivrons moyens dans de l'eau bouillante jusqu'à ce qu'ils soient tendres. Couper les queues et ôter les pépins. Garnir avec la farce suivante:

¼ tasse de graines de tournesol pulvérisées
1½ tasse de millet cuit
3 c. à soupe d'oignon haché
¼ tasse de céleri haché
1½ tasse de tomates cuites
1 c. à thé de sel
1 c. à thé d'oignon
1 c. à soupe d'huile

Faire mijoter tous les ingrédients 10 minutes. Remplir les moitiés de poivrons avec la farce et les placer dans un plat à gratin huilé avec un petit peu d'eau chaude dans le fond. Cuire au four à 180°C (350°F) pendant 30 minutes.

On peut préparer de la même manière un gros zucchini.

Ratatouille de zucchini

¾ tasse de riz ou de millet cuit
2 zucchinis moyens tranchés
un gros oignon en tranches minces
2 tomates moyennes, épluchées et tranchées
½ c. à thé d'origan

Placer le riz ou le millet dans le fond d'un plat bien huilé. Arranger les zucchinis, l'oignon et les tomates en couches alternées. Saupoudrer chaque couche de sel et d'origan.

Terminer avec du fromage râpé. Cuire à 180°C (350°F) au four pendant 1 heure environ, jusqu'à ce que les légumes soient tendres.

Pommes de terre au gratin

4 c. à soupe d'huile
1 gros oignon en tranches minces
6 pommes de terre moyennes en tranches minces
2 tasses de fromage râpé
1 c. à thé de sel
1½ tasse de yogourt naturel

Huiler un plat rectangulaire et pas trop profond. En couvrir le fond avec une mince couche de tranches d'oignon, puis avec une mince couche de tranches de pommes de terre. Saler la couche de pommes de terre. Faire une couche de fromage râpé. Répétez toutes les couches jusqu'à épuisement des ingrédients.

Verser le yogourt sur le tout. Couvrir le plat et cuire au four 1½ heure à 180°C (350°F). Ce plat a une texture très crémeuse.

Croquettes de châtaignes

2 tasses de châtaignes cuites à l'eau et épluchées
1 œuf
1 tasse de céleri haché
2 c. à soupe d'huile
le jus d'un demi citron
½ tasse de sarrazin cuit
½ c. à thé de sel

Écraser les châtaignes en purée. Ajouter l'œuf, le céleri, l'huile, le sel, le sarrazin et façonner en croquettes. Placer sur une tôle à biscuits et cuire jusqu'à ce qu'elles soient dorées. Badigeonner de jus de citron. Garnir d'oignons grillés.

Purée de millet

Voici un substitut possible et nourrissant de purée de pommes de terre.

1 tasse de millet
4 tasses d'eau
1 c. à thé de sel

Faire cuire tous les ingrédients à feu doux et lorsque toute l'eau est bien absorbée, et que le millet est bien cuit, le mettre en purée en le fouettant avec une «mixette».

L'assaisonner avec du sel, du basilic en poudre et de la crème fraîche. Servir cette purée garnie de persil frais.

On peut, pour varier, ajouter à la purée ½ tasse d'oignons hachés très fin et légèrement frits.

Hors-d'œuvre

2 gros oignons hachés
250 g de champignons hachés
2 gros poivrons verts hachés
2 œufs bien battus
2 c. à soupe d'huile
½ c. à thé de sauge
du sel au goût

Faire revenir les oignons, les champigons et les poivrons dans 2 c. à soupe d'huile pendant 5 minutes ou jusqu'à ce qu'ils soient tendres. Ajouter les assaisonnements puis les œufs et remuer constamment jusqu'à ce qu'ils soient bien cuits. Servir chaud.

---

1. Hoffman Trudie, *No-oil, No-fat Vegetarian Cookbook,* Professional Press Publishing Company, Californie, 1979, p. 52.
2. Ibid. p. 53.
3. Thrash Agatha, M.D., *Eat... For Strength,* p. 54.
4. Hoffman Trudie, *No-oil, No-fat Vegetarian Cookbook,* p. 53.

Plats de résistance

Pâtés de noix

½ tasse de noix d'acajou finement moulues
¼ tasse d'arachides finement moulues
1½ tasse de légumes variés cuits râpés

Assaisonner d'herbes aromatiques, d'algues rouges en poudre et de sel. Faire de petits pâtés et cuire sur une tôle à biscuits au four.

Lentilles à la Mexicaine

3 tasses de lentilles cuites
2 tasses de tomates épluchées, en morceaux
4 gousses d'ail émincé
½ c. à thé de sel
1 c. à thé de paprika

Réchauffer dans une poêle puis ajouter ½ tasse de fromage naturel râpé. Servir lorsque le fromage est fondu.

Lentilles à la naturelle

1½ tasse de lentilles brunes
3 tasses d'eau
1 oignon moyen émincé
1 c. à thé de sel
2 c. à soupe d'huile

Bien laver les lentilles et ajouter l'eau et l'oignon. Cuire le tout jusqu'à ce que les lentilles soient tendres. Après la cuisson ajouter le sel et l'huile.

Servir tel quel ou avec une sauce tomate.

Pâté de lentilles

2 tasses de lentilles cuites
1 tasse de graines de tournesol moulues
1 c. à soupe de levure torula
1 c. à soupe de sauce Tamari
1 gousse d'ail émincé
1 c. à thé de sel
1 tasse de fromage râpé

Mélanger tous les ingrédients à l'exception du fromage. Mettre dans un plat à gratin. Saupoudrer le fromage sur le dessus et cuire au four pendant 25 minutes à 180°C (350°F).

Ragoût de lentilles

2 oignons hachés
2 tasses de tomates en morceaux, épluchées
½ c. à thé de thym
1 c. à soupe de sauce Tamari
½ tasse de céleri haché
¼ tasse de persil haché

Ajouter tous ces ingrédients à un bouillon de légumes léger et cuire jusqu'à ce que les légumes soient tendres. Mettre le tout dans le mélangeur et le liquéfier. Ajouter alors à cette base deux tasses de lentilles cuites, de l'ail pilé et du sel.

Réchauffer et servir.

Croquettes de lentilles

2 tasses de lentilles cuites et mises en purée
2 tasses de pommes de terre en purée
3 c. à soupe d'oignon râpé
½ c. à thé de sauge ou d'origan
2 c. à soupe d'huile

Faire revenir l'oignon jusqu'à ce qu'il soit tendre. Ajouter les autres ingrédients. Bien mélanger. Former les croquettes, les placer sur une tôle huilée et brunir au four.

Lentilles au four

2 tasses de lentilles cuites
1 petit oignon haché
½ tasse de jus de tomates
½ tasse de sarrazin ou de riz cuit
1 c. à soupe d'huile
½ tasse de céleri haché
1 c. à thé de sel
2 c. à soupe de beurre d'arachide

Faire revenir l'oignon et le céleri jusqu'à ce qu'ils soient tendres. Ajouter les autres ingrédients. Bien mélanger, et cuire à four doux pendant une heure.

Lentilles germées

2 tasses de lentilles germées
1 c. à soupe de sauce Tamari
1 tasse de céleri haché
1 tasse d'oignon haché
2 c. à soupe d'huile
3/4 c. à thé de sel

Cuire tous les ingrédients à l'étuvée environ 15 minutes. Servir avec une soupe et une salade.

Pâtés d'amandes et de lentilles

2 tasses de lentilles cuites en purée
1/2 tasse d'amandes moulues
1/2 tasse de graines de tournesol moulues
1 c. à thé de sel
1/2 c. à thé d'origan
1 tasse de sarrazin ou de riz cuit

Former en petits pâtés et cuire au four sur une tôle huilée jusqu'à ce que chaque pâté soit légèrement grillé.

Pâté au millet

2 tasses de millet
1 tasse de graines de sésame moulues
2 tasses d'eau

Mettre tous les ingrédients dans un plat en pyrex et bien mélanger. Cuire au four à 180°C (350°F) pendant 60 minutes.

Refroidir le millet au réfrigérateur. Une fois durci, le couper en tranches comme du pain. Ces tranches peuvent être grillées à la poêle et utilisées comme des petits pâtés, accompagnées de sauce tomate ou de sauce aux champignons.

Millet chaud du déjeuner

1 tasse de millet
4 tasses d'eau
une pincée de sel

Cuire jusqu'à ce que tout le liquide soit absorbé. Placer le millet dans le mélangeur avec 2 c. à soupe d'huile et ½ c. à thé de vanille. Liquéfier le tout.

Servir avec des morceaux de bananes et de pommes.

Le millet est une excellente source de calcium, de fer et de protéines. C'est un excellent déjeuner pour les enfants. Ceux qui tolèrent le miel (½ c. à thé) ou les fruits secs, peuvent y ajouter quelques dattes, du miel ou des raisins secs.

Millet aux champignons

3 tasses de millet pré-cuit
½ tasse de graines de tournesol moulues
1 oignon moyen
1 œuf
2 c. à soupe de légumes déshydratés
250 g de champignons hachés
4 c. à soupe d'huile
½ tasse de levure alimentaire
1 c. à thé de sel
¼ c. à thé d'origan

Attendrir à la vapeur les oignons et les champignons. Ajouter les autres ingrédients et bien mélanger. Mettre dans un plat huilé allant au four et cuire une heure à 180°C (350°F).

Servir avec une sauce brune.

Croquettes de millet

1 tasse de millet cuit
½ tasse de germe de blé
¾ tasse de sarrazin cuit
1 c. à thé de sel marin
1 petit oignon émincé
1 c. à thé de persil haché
2 c. à soupe d'huile
1 c. à thé de sauce Tamari

Mélanger tous les ingrédients. Former des croquettes à la main et les cuire 25 minutes à 190°C (375°F) au four sur une tôle huilée. Retourner les croquettes au cours de la cuisson.

Ratatouille de millet

2 tasses de millet cuit
2 oignons moyens émincés
1 gousse d'ail émincé
1 c. à soupe de pâte de tomate
4 c. à soupe d'huile
1 c. à thé de sel
1 c. à soupe de persil séché
½ c. à thé d'origan

Faire revenir l'oignon et les autres ingrédients. Bien mélanger et cuire au four pendant une heure à 180°C (350°F).

Ragoût de millet

Faire revenir:

1 tasse de carottes finement découpées
1 oignon moyen haché
1 tasse de céleri haché
2 c. à soupe de persil haché

Ajouter ensuite:

1 tasse de millet pré-cuit

Laisser mijoter le tout pendant 30 minutes jusqu'à ce que les saveurs soient bien mélangées. Ajouter un peu d'huile avant de servir.

Rôti de millet

2 tasses de millet pré-cuit
¾ tasse de levure alimentaire
1 oignon moyen haché
1 branche de céleri haché
3 c. à soupe d'huile
¼ c. à thé de sauge
1 tasse de champignons hachés

Faire revenir à la poêle les oignons, le céleri et les champignons. Mélanger aux autres ingrédients. Cuire au four pendant 45 minutes à 190°C (375°F).

Servir avec une sauce tomate.

Millet à l'Espagnol

3 tasses de millet pré-cuit
2 c. à soupe d'huile
½ tasse d'oignons hachés
1 gros oignon
1 gros poivron
1 tasse de jus de tomate
1 gousse d'ail pilé
1 c. à soupe de sauce Tamari
1 c. à thé de sel

Attendrir à la vapeur les oignons et le poivron. Ajouter le millet et les autres ingrédients. Cuire au four à feu doux environ 45 minutes dans un plat à gratin.

Pizza au millet

1 tasse de millet cuit
1/4 tasse de graines de lin moulues
1/4 tasse de graines de tournesol moulues
1/2 tasse de levure alimentaire
1/2 c. à thé de sel
1 œuf battu

Pour faire la croûte, bien mélanger tous les ingrédients et étendre une couche mince dans un plat à pizza. Précuire la croûte dans un four à 180°C (350°F) pendant 25 minutes.

Puis garnir avec une petite boîte de pâte de tomate, des oignons, du céleri, des poivrons verts, des champignons sautés, du sel et de l'origan.

Recouvrir de fromage râpé. Remettre au four pour 15 à 20 minutes et servir.

Millet aux noix

1/2 tasse de noix d'acajou moulues
1/2 tasse d'amandes moulues
2 tasses de millet cuit
2 œufs battus
2 oignons émincés
1/4 tasse de persil haché
3 c. à soupe de levure alimentaire
1/2 c. à thé de thym
1 c. à thé de sel
2 c. à soupe d'huile

Faire attendrir les oignons. Ajouter les autres ingrédients et bien mélanger. Placer dans un plat huilé au four et cuire 30 à 45 minutes à 180°C (350°).

Rôti de sarrazin

3 tasses de sarrazin cuit
2 oeufs battus
1 oignon moyen émincé
1 c. à thé de sel
1 c. à thé de levure alimentaire assaisonnée
4 c. à soupe d'huile

Faire revenir l'oignon jusqu'à ce qu'il soit tendre. Ajouter les autres ingrédients, mélanger et verser dans un plat à gratin huilé. Cuire à 180°C (350°F) pendant 35 minutes. Servir nappé d'une sauce tomate.

Riz au naturel

1 tasse de riz brun
4 tasses d'eau
du sel au goût

Bien laver le riz à l'eau froide. Puis le verser dans l'eau bouillante. Le cuire à feu vif jusqu'à ce qu'il soit gonflé. Le cuire ensuite à feu doux pendant une heure. Ne pas remuer.

Riz simple

1 tasse de riz bien cuit
4 c. à soupe d'oignons hachés
2 c. à soupe de persil haché
2 gousses d'ail émincé
½ c. à thé de sauge ou de thym
1 c. à soupe de sauce Tamari

Faire revenir l'oignon et l'ail. Ajouter les autres ingrédients et bien réchauffer le tout.

Riz mexicain

1 tasse de riz brun cuit
1 oignon haché fin
1 poivron rouge haché fin
1 poivron vert haché fin
1 tasse de champignons en lamelles
1 c. à soupe d'huile
½ tasse de maïs frais en grains
1 c. à thé de sel
½ c. à thé d'origan

Faire revenir l'oignon, les poivrons et les champignons. Ajouter le riz et le maïs. Cuire 5 minutes. Assaisonner. Garnir avec des lamelles de poivrons et servir.

Pâté de pois chiches

3 tasses de pois chiches cuits
1½ tasse de tomates étuvées
1 petit oignon émincé
¼ tasse de poivron vert haché
2 c. à soupe d'huile
¼ c. à thé d'ail émincé

Faire revenir l'oignon et le poivron et les ajouter aux autres ingrédients. Mettre les pois chiches en purée dans le jus de tomate. Mélanger le tout et le cuire dans un plat allant au four pendant 30 minutes à 180°C (350°F).

Rôti de pois cassés

2 tasses de pois cassés cuits
1 tasse d'oignon haché fin
4 c. à soupe d'huile

1 c. à thé de sel
1 c. à thé de sauge

Faire revenir les oignons. Les ajouter aux autres ingrédients. Mélanger et cuire dans un plat en pyrex au four à 180°C (350°F) pendant 35 minutes.

Rôti de carottes et arachides

2 tasses de carottes râpées
½ tasse de beurre d'arachide
½ tasse de lait
3 c. à soupe d'huile
1 tasse de riz cuit
2 c. à soupe d'oignon râpé.
½ c. à thé de sel

Émulsifier le beurre d'arachide dans le lait. Ajouter les autres ingrédients. Mettre dans un plat allant au four et cuire une heure à 190°C (375°F).

Servir avec une sauce tomate.

Pâtés de noix et graines

½ tasse d'oignons hachés
⅔ tasse de champignons hachés
⅓ tasse de graines de tournesol moulues
¼ tasse de graines de sésame moulues
¼ tasse de persil haché
⅓ tasse de fromage râpé
2 c. à soupe d'huile
2 c. à soupe de sauce Tamari
½ tasse de levure alimentaire

Mélanger tous les ingrédients excepté la levure. Former en petits pâtés et les tremper dans la levure puis griller au four des deux côtés.

Rôti de graines de tournesol

1 tasse de graines de tournesol moulues
½ tasse de carottes râpées
½ tasse de céleri haché
1 c. à soupe de persil haché
2 c. à soupe d'oignon haché
1 oeuf bien battu
1 c. à soupe d'huile
¼ tasse de jus de tomate
2 c. à soupe de germe de blé
1 c. à thé de sel
une pincée d'origan

Mélanger tous les ingrédients et les cuire au four dans un plat à 180°C (350°F) pour 55 minutes.

Ils peuvent aussi être façonnés en petits pâtés et griller au four.

Petits pâtés d'avoine

3 oeufs
1 tasse d'oignons hachés finement
¾ tasse de flocons d'avoine

Bien mélanger et verser à la cuillère dans une poêle huilée et chauffée et brunir de chaque côté. Ajouter:

2 tasses d'eau bouillante
3 c. à soupe de sauce Tamari

Faire mijoter doucement tous les pâtés jusqu'à ce que tout le liquide soit absorbé.

Servir avec une sauce brune ou une sauce tomate.

Desserts honnêtes

Ces recettes utilisent des fruits frais, de la caroube et des fruits séchés. Ces derniers, trempés dans de l'eau et ajoutés à une recette sont suffisamment dilués et déconcentrés pour être bien tolérés par la plupart des hypoglycémiques, surtout après une phase initiale de désintoxication.

De toute façon l'individu sevré du sucre pendant près d'un mois sera étonné, lors d'un écart occasionnel de découvrir que le morceau de gâteau convoité est beaucoup trop sucré. Une fois votre palais rééduqué, vous accepterez très bien le goût naturel des aliments et vous en serez heureux. Les fruits sont les produits sucrés que Dieu, à la création, nous a destiné et ils doivent suffire à satisfaire tous nos besoins et à combler toutes nos envies car le récit sacré dit: «Dieu vit tout ce qu'il a fait; et voici, cela était très bon[1].»

Ces recettes dépourvues de tout sucre, miel, mélasse et sirop d'érable vous permettront d'encourager chez vous et chez les vôtres l'habitude du dessert simple en attendant qu'il ne devienne tout simplement exceptionnel. Ces douceurs vraiment naturelles sauront conquérir les plus difficiles par leur goût délicat et leur légèreté. Ami lecteur, bon appétit! Un des plus grands plaisirs de la table est certainement celui de savoir que l'on mange des aliments sains qui favorisent la vigueur et la joie de vivre.

Une certaine publicité est faite, à l'occasion, en faveur du fructose. Ce sucre semble être mieux toléré par l'hypoglycémique. À ce sujet, le docteur Carl C. Pfeiffer déclare: « L'usage du fructose, pour remplacer le sucrose, peut être une bonne idée car le fructose est absorbé lentement, il ne stimule pas la production d'insuline et il est moins cariogénique[2]. » L'expérience de nombreux hypoglycémiques démontre toutefois qu'ils ne peuvent utiliser ce sucre que très modérément, exceptionnellement, et en dehors de tout stress. Il vaut mieux l'oublier ce gâteau à la crème...

Crème de poires

(4 portions)

500 g de poires fraîches ou congelées sans sucre
2 tasses de lait
2 c. à soupe de farine de millet
1 pincée de sel
3 c. à soupe de raisins secs
1 c. à thé de vanille

Placer les poires dans des coupes à dessert.

Délayer la farine dans un peu de lait. Cuire le mélange jusqu'à épaississement. Ajouter les raisins et la vanille. Verser sur les poires et garder au frais. Servir frais et garni d'amandes effilées.

Purée d'abricots

500 g d'abricots secs
1/4 tasse de jus d'orange
1 c. à soupe de raisins secs

Faire tremper les abricots la veille et mettre le tout en purée au mélangeur. Ajouter un peu de crème fraîche et servir.

Excellent substitut de confiture.

Mousse aux pêches

(4 à 5 portions)

500 g de pêches congelées sans sucre ou fraîches
2 tasses de yogourt naturel
3 c. à soupe de crème fraîche
12 amandes

Liquéfier le tout au mélangeur. Verser dans des coupes à dessert. Décorer avec quelques morceaux de noix de Grenoble. Garder au frais jusqu'au moment de servir.

Gelée à l'orange

1 c. à soupe d'agar-agar
2 tasses de jus d'orange
le jus d'un citron
3 c. à soupe de raisins secs
zeste râpé d'une orange et d'un citron très bien lavés.

Chauffer le jus d'orange et de citron. Ajouter l'agar-agar délayé dans un peu d'eau. Mélanger les raisins et les zestes. Les ajouter aux jus. Verser le tout dans des coupes et faire prendre au réfrigérateur.

Purée de pruneaux

2 tasses de pruneaux secs
½ tasse de jus de pomme
¼ tasse de noix hachées
½ c. à thé de vanille

Faire tremper les pruneaux la veille. Retirer les noyaux. Ajouter les noix hachées. Réduire en purée. Servir frais dans des coupes. Cette purée est aussi une bonne confiture.

Pommes au four

Compter deux pommes par personne.

½ tasse de dattes hachées
½ tasse de noix de Grenoble émiettées
½ tasse de raisins secs
1 c. à thé de coriandre en poudre

Vider le cœur des pommes et remplir la cavité d'une cuillèrée d'un mélange fait avec les dattes, les noix, les raisins et le coriandre. Arroser avec du jus de citron chaque pomme. Cuire au four dans un plat en pyrex. Servir chaud.

Tarte aux petits fruits

bleuets (myrtilles), fraises, framboises

Faire une pâte à tarte avec:

300 g de farine
150 g de gras (margarine ou huile)
du sel au goût

Mettre la pâte dans un moule. Étendre des raisins secs dans le fond du plat. Recouvrir de fruits. Verser dessus quelques gouttes de vanille. Saupoudrer de poudre de marante (arrow-root). Faire un couvercle de pâte et cuire au four à 180°C (350°F) pendant environ 30 minutes.

Crémage à gâteaux

15 dattes dénoyautées
½ tasse de raisins secs
¾ tasse de poudre de caroube
½ tasse de graines de tournesol moulues finement
1 tasse d'eau

Mettre le tout dans le mélangeur et bien mélanger pour obtenir une pâte molle. Ajouter petit à petit:

½ tasse d'huile

Excellent crémage pour napper des tartes ou des gâteaux.

Tarte à la citrouille

(3 à 4 tartes moyennes)

une citrouille moyenne
4 tasses de fruits frais ou congelés (sans sucre)
30 dattes dénoyautées
1 tasse de raisins secs

Faire cuire à la vapeur la citrouille coupée en tranches épluchées. Quand elle est cuite, réduire en purée et ajouter l'eau de cuisson et un peu de crème jusqu'à consistance molle. Ajouter à la purée dans le mélangeur les fruits (fraises, pêches, poires), les dattes, les raisins secs, une cuillère à soupe de vanille, un peu de sel et réduire le tout en purée.

Mettre dans des plats à tarte garnis de pâte à tarte et recouvrir d'un couvercle de pâte. Cuire au four à 190°C (375°F) environ 30 minutes.

Tarte aux bananes

Mettre dans le mélangeur et liquéfier:

1 tasse d'eau
12 dattes dénoyautées
une pincée de sel

Ajouter et liquéfier:

1 tasse d'eau
½ tasse d'amandes brunes
1 c. à thé de vanille
3 c. à s. de poudre de marante

Verser dans un bain-marie et cuire jusqu'à ce que le mélange s'épaississe.

Garnir une croûte de tarte déjà cuite de rondelles de bananes. Verser sur le tout la crème refroidie puis garnir selon la saison, de fraises, de cerises ou de noix de coco râpée. Servir frais.

Sirop de caroube

2 tasses d'eau
½ tasse de poudre de caroube
2 tasses de dattes molles et dénoyautées

Liquéfier dans le mélangeur jusqu'à l'obtention d'un liquide onctueux. Verser dans un bol. Rincer dans le mélangeur avec 1 tasse d'eau et l'ajouter au sirop de caroube. Bien mélanger et réfrigérer. Ce sirop dans les proportions de 5 c. à s. de sirop pour une tasse d'eau ou de lait fait une boisson chaude ou froide délicieuse.

Tarte aux pommes et aux kiwis

Voici une pâte très simple sans margarine ni huile:

1 tasse de noix d'acajou
½ tasse d'eau
½ c. à thé de sel
1 tasse de farine

Liquéfier au mélangeur les noix, l'eau et le sel. Verser le liquide dans un bol. Ajouter la farine en battant bien. Faire une boule de pâte molle et la pétrir légèrement. L'étaler dans un plat à tarte après l'avoir piquée avec une fourchette.

Garnir le fond avec des rondelles de bananes et des raisins secs. Recouvrir de quartiers de pommes finement tranchés et de quelques lamelles de dattes. Cuire au four à 190°C (375°F) pendant 20 minutes.

Retirer du four et décorer avec des kiwis épluchés et découpés en fines tranches. C'est une tarte au goût subtil.

Sirop d'orange

2 tasses de dattes dénoyautées
2 tasses d'eau bouillante
1 boîte de jus d'orange congelé sans sucre

Verser l'eau bouillante sur les dattes et laisser reposer 30 minutes. Ajouter le jus d'orange et bien liquéfier au mélangeur. Délicieux sur de la polenta, du millet, du riz, des crêpes, à la place d'un sirop de sucre ou d'un produit laitier.

Gâteau aux abricots

1 tasse d'eau
1 c. à s. de levure active à pain
2 ½ tasses de farine de blé entier
2 dattes découpées en lanières
1 c. à thé de sel

Liquéfier l'eau et les dattes. Ajouter la levure au liquide et laisser reposer 15 minutes. Ajouter le reste des ingrédients et pétrir à la main. Placer la boule de pâte dans un bol et la laisser lever recouverte d'un linge humide. Abaisser la pâte et l'étaler au rouleau. Faire un rectangle d'environ 2.5 cm d'épaisseur. Placer la pâte dans un plat aux bords relevés. Laisser encore lever 20 minutes.

Remplissage

3 ½ tasses d'abricots trempés
8 à 10 dattes
3 c. à s. de poudre de marante

Mettre le tout en purée au mélangeur, verser dans une casserole et cuire jusqu'à ce que le mélange épaississe en remuant constamment. Il devrait être très épais. Laisser refroidir un peu. Verser sur la pâte et garnir de moitié de noix de Grenoble décortiquées. Cuire à 180°C (350°F), 30 à 40 minutes. Refroidir. Découper en carrés et servir.

Pain de fruits

1 tasse de dattes
1 tasse de raisins
1 tasse de biscottes de seigle émiettées
1 tasse de germe de blé
1 tasse de fruits séchés mélangés
1 tasse de noix émiettées
1 tasse de jus d'orange
2 c. à s. de zeste râpé de citron bien lavé

Couper les dattes en petits morceaux. Les cuire à la vapeur avec les raisins quelques minutes. Mélanger tous les ingrédients et les tasser fermement dans un plat capitonné de papier ciré. Mettre un poids sur le dessus et laisser reposer au réfrigérateur 2 jours. Démouler et couper de fines tranches avec un couteau bien aiguisé.

Biscuits aux bananes

Mélanger :

1 tasse de dattes hachées
½ tasse de noix de Grenoble émiettées
⅓ tasse d'huile
2 tasses de flocons d'avoine
3 bananes écrasées
1 c. à thé de vanille
une pincée de sel

Laisser reposer un peu. Verser à la cuillère sur une tôle à biscuits et cuire au four à 180°C (350°F) environ 20 minutes.

Pudding au riz simple

1 tasse de riz brun cuit
1 tasse de lait
½ c. à thé de sel
½ tasse de raisins secs
1 c. à soupe d'huile
1 c. à thé de vanille

Mélanger tous les ingrédients et les verser dans un plat huilé. Cuire au four à 180°C (350°F) pendant 30 minutes.

Pudding au riz meringué

1 tasse de riz brun cuit

3 œufs

1 1/2 tasse de lait

1/4 tasse de crème

1/2 c. à thé de vanille

1/3 tasse de dattes hachées

Battre les 3 blancs d'œufs en neige. Les incorporer au reste des ingrédients et verser le tout dans un plat huilé. Garnir d'un peu de blanc d'œuf battu en neige.

Cuire au four à 180°C (350°F) pendant 8 à 10 minutes.

Pudding rapide

4 tasses de granola ou « magnola »

4 tasses de compote épaisse de pommes sans sucre

Mélanger les deux ingrédients et placer le tout dans un plat carré. Laisser reposer la nuit. Garnir d'amandes effilées et réchauffer au four le matin. Servir chaud pour un bon petit déjeuner.

Délice aux oranges et aux bananes

3 grosses oranges juteuses

2 bananes bien mûres, en tranches minces

1 1/2 tasse de noix de coco râpée sans sucre

3 c. à soupe de zeste d'oranges

Bien laver les oranges à l'eau et au vinaigre, les éplucher et en râper le zeste. Ôter les pépins et liquéfier les oranges dans le mélangeur.

Mélanger tous les ingrédients et servir garni de feuilles de menthe.

Crème aux bananes

3 tasses de lait végétal (ou autre)

3/4 tasse de farine de millet

4 bananes bien mûres

une pincée de sel

Mélanger le lait, la farine et le sel et faire cuire jusqu'à épaississement. Verser dans le mélangeur avec les bananes et obtenir une crème onctueuse.

Délicieux sur des crêpes ou du pain séché au four.

Crème de melon

un melon bien mûr

une banane mûre

1 c. à soupe d'huile

une pincée de sel

Couper le melon en tranches, les éplucher et ôter les graines. (Gardez les graines. Faites-les sécher et mettez-les en poudre dans le moulin à café électrique. Utilisez-les pour garnir.) Placer tous les ingrédients dans le mélangeur et obtenir une crème onctueuse.

Servir très frais dans des coupes à dessert et garni d'une belle fraise fraîche ou congelée.

Boules au beurre d'arachide

1/2 tasse de beurre d'arachide

1/2 tasse de dattes hachées finement

2 tasses de noix de coco râpée (sans sucre)

Mélanger le tout et former en petites boules. On peut les rouler dans de la poudre de caroube. Réfrigérer et servir frais.

---

1. Genèse 1 (31).
2. Pfeiffer Carl C., *Mental and Elemental Nutrients*, p. 96.

Appendice

Pour mieux comprendre l'hypoglycémie

Comment se fait la régulation de la glycémie

À l'état normal, le corps maintient un taux de glucose constant égal à 1 pour 1000 ou 1g/l environ. Or, certaines causes physiologiques tendent à produire *l'hyperglycémie* (augmentation de glucose sanguin): nommons avant tout l'absorption des glucides (hydrates de carbone) alimentaires. D'autres causes, comme le travail musculaire, grand consommateur de glucose, ou le froid tendraient à produire *l'hypoglycémie* (abaissement de glucose sanguin). Sous l'influence de ces facteurs, le corps subit des variations faibles de la glycémie (taux de glucose sanguin) qui sont normales mais qui, au-delà de certaines limites deviennent anormales. Immédiatement il apparaît des problèmes. Les substances utiles à l'organisme ne sont pas éliminées par les urines tant que leur concentration dans le plasma n'atteind pas une certaine valeur qu'on appelle « seuil d'élimination ». Si leur teneur dans le plasma s'élève au-dessus de ce seuil, le rein élimine le surplus dans l'urine. C'est le cas du glucose. Dès qu'il dépasse le taux de 1,7 pour 1000 l'urine contient du sucre (glycosurie). Par contre si le taux de glucose s'abaisse au-dessous de 0,4 pour 1000 des accidents nerveux se produisent.

Il existe donc dans un corps à l'état normal, une lutte constante contre l'hyperglycémie ou contre l'hypoglycémie. Cette lutte se fait grâce aux facteurs hyperglycémiants et aux facteurs hypoglycémiants de diverses glandes endocrines. Lorsque tout fonctionne bien le résultat de cette lutte est un taux de glucose à peu près constant variant peu (constante glycémique).

La lutte contre l'hyperglycémie

Le pancréas endocrine joue un rôle essentiel dans la régulation du métabolisme des glucides. En effet les îlots de Langerhans sécrètent une hormone, l'insuline qui a les propriétés et les réactions des protéines. C'est un polypeptide complexe qui comporte un grand nombre d'acides aminés (leusine, cystine, thyrosine, acide glutamique, etc...).

L'insuline est une hormone hypoglycémiante qui provoque dans l'organisme normal un «vide de sucre». Il faut, pour que tout se passe normalement, que la quantité d'insuline sécrétée par le pancréas endocrine soit proportionnée aux besoins du moment. Si l'absorption du glucose intestinal fait pénétrer beaucoup de glucose dans le sang, il faut que la sécrétion d'insuline soit accrue. Inversement s'il y a peu de glucose disponible il faut que la sécrétion de l'insuline soit diminuée. Cette régulation de la sécrétion de l'insuline peut être soit nerveuse ou humorale.

Ainsi l'insuline, cette hormone hypoglycémiante agit:

1) en augmentant la consommation de glucose par les tissus;
2) en favorisant la formation du glycogène dans le foie;
3) en favorisant la transformation du glucose en graisses de réserve.
4) en ouvrant les espaces lacunaires au glucose du sang. (Le système lacunaire consiste en l'ensemble des cavités discontinues qui remplissent les interstices des cellules, des tissus et des organes.)

La lutte contre l'hypoglycémie

Le glucose provenant de la digestion des glucides est absorbé au niveau des villosités intestinales et conduit par la veine porte au foie qui le transforme en glycogène. Le foie restitue ensuite le glucose, peu à peu, dans le courant sanguin au fur et à mesure que l'organisme en a besoin.

Le foie, parce qu'il peut fixer le glucose qui lui parvient de l'absorption intestinale sous forme de glycogène, contribue à maintenir la glycémie constante. En effet, si le foie ne retenait pas une partie de la masse du glucose absorbé, le taux de glucose dans le sang, après un repas riche en glucides, atteindrait un taux trop élevé.

Cependant, il faut savoir qu'après une absorption importante de glucides, une partie des sucres amenés au foie le traversent *sans y être retenus* et arrivent dans la circulation générale, (le sang) où on les retrouvent sous leur forme d'absorption (glucose, lévulose, galactose). Ainsi la capacité qu'a le foie d'ériger un barrage à l'excès de la consommation des glucides est limitée.

La thyroïde agit d'une façon indirecte sur la fonction glycogénique du foie. Elle augmente les dépenses de l'organisme en glucides et stimule ainsi la conversion du glycogène stocké dans le foie en glucose circulant dans le sang. Elle agit ainsi à l'opposé de l'insuline qui elle, stimule la transformation du glucose sanguin en glycogène.

Les surrénales sont des glandes indispensables à la vie. Elles sont au nombre de deux et coiffent le pôle supérieur des deux reins. Elles sont formées de deux parties distinctes: la médullosurrénale qui sécrète *l'adrénaline* et la corticosurrénale qui sécrète plusieurs hormones dont l'importance est capitale: *les minéralo-corticoïdes* qui maintiennent l'équilibre de l'eau et des électrolytes (sodium, chlore, potassium) dans le corps; *les glucocorticoïdes* qui jouent un rôle principale dans la régulation du métabolisme des sucres; les *androgènes*, hormones sexuelles sécrétées aussi bien chez l'homme que chez la femme.

L'adrénaline tout comme les glucocorticoïdes ont une action hyperglycémiante. Elles relèvent le taux sanguin du sucre que l'insuline abaisse en forçant la transformation du glycogène du foie en glucose.

Le lobe antérieur de *l'hypophyse* a une action hyperglycémiante: il stimule la transformation du glycogène du foie en glucose; il diminue la fixation du glucose en glycogène dans les muscles et l'utilisation du glucose par les tissus; il favorise la transformation des lipides en glucose (néoglycogenèse).

Comment se fait la digestion des glucides

Les glucides sont les composés biochimiques qui se forment dans les végétaux au cours de la photosynthèse. On les appelle aussi hydrates de carbone car leur formule brute peut en général s'écrire $C_n(H_2O)_n$. On trouve des glucides dans tous les aliments d'origine végétale. Le mot glucide vient du grec *glukus*: doux.

On divise les glucides en trois classes:

a) les *oses* sont les glucides les plus simples dont le synonyme est monosaccharide.
b) les *holosides* sont formés de l'union d'un petit nombre d'oses. On les appelle aussi oligosaccharides.
c) les *polyholosides* ou polysaccharides sont formés de l'union de très nombreuses molécules d'oses.

La digestion des glucides est une digestion en cascade dont le but est la désintégration des grosses molécules glucidiques en sucres simples (glucose, mannose, galactose, fructose) capables de passer dans le sang. Cette digestion commence dans la bouche sous l'action de l'amylase de la ptyaline qui donne des molécules de maltose (dissacharide), se poursuit sous l'effet de l'amylase pancréatique et se termine dans la muqueuse intestinale dont les cellules sécrètent diverses enzymes (invertase, lactase et maltase) qui hydrolysent les dissacharides et donnent des sucres simples. Dans certains cas, l'absorption directe de sucres non transformés peut avoir lieu. Par exemple au cours d'un apport excessif de saccharose (sucre blanc) des quantités appréciables de ce sucre passent dans la veine porte, sans qu'il y ait hydrolyse intestinale.

Comment se fait le métabolisme des glucides

Le métabolisme des glucides consiste en deux opérations essentielles: la dégradation des molécules de glucose appelée glycolyse qui fournit de l'énergie aux cellules et la constitution de molécules de glycogène (glycogenèse) stockées dans le foie qui joue à ce niveau un rôle de premier plan.

La circulation sanguine amène au foie le glucose absorbé après la digestion. Il en transforme une partie en glycogène qui sera retransformé en glucose selon les besoins de l'organisme. Cependant au cours de l'absorption digestive, on remarque une augmentation de la glycémie dans les veines sus-hépatiques ce qui prouve qu'une partie du glucose venu directement de l'intestin n'est pas retenu par le foie. Il franchit sans transformation la barrière hépatique. Ainsi à la suite d'un repas riche en glucides, il se produit une véritable inondation du sang par le glucose qui doit alors être stocké dans:

1) *le système lacunaire*: Le système lacunaire est l'ensemble de l'espace dans lequel se répartissent des liquides extracellulaires (plasma, lymphe). C'est là que se répand le glucose en excès dans le sang que le foie n'a pas pu arrêter et transformer. Plus tard, ce glucose ressort des espaces lacunaires, repasse dans le sang et arrive au foie où il est transformé en glycogène.

2) *les muscles*: Le foie n'est pas le seul organe fixateur de glycogène. Le muscle au repos, à un degré moindre, et le muscle au travail, à un degré supérieur, prélève dans le sang du glucose dont il met une partie en réserve sous forme de glycogène. C'est au cours du travail (de la contraction musculaire) que le muscle épuise ses réserves de glycogène, réserves qui sont importantes lorsque le muscle est au repos. Le glycogène musculaire, contrairement au glycogène du foie qui, à chaque

instant redonne du glucose, est utilisé dans le muscle même pour satisfaire les besoins énergétiques de la contraction musculaire. Les muscles s'associent donc au foie pour enlever au sang du glucose et en faire du glycogène. Cette transformation cependant est très lente comparée à celle qu'effectue le foie. La dégradation du glycogène musculaire fournit de l'acide pyruvique qui, transformé en acide lactique, passe dans le courant sanguin. Il est converti en glycogène dans le foie qui peut alors le retransformer en glucose.

De plus, lorsque la ration alimentaire apporte plus de glucides qu'il n'en faut pour satisfaire les besoins énergétiques, dès que les réserves du foie en glycogène ont atteint leur plafond, le sucre sanguin donne lieu à la formation de graisses qui se déposent sous la peau et autour des organes.

Le métabolisme des glucides est étroitement lié aux vitamines B et particulièrement à la vitamine B_1. Les besoins augmentent avec la proportion de glucides ingérés. En leur absence, la dégradation des glucides ne se poursuit pas jusqu'à son terme ultime. La fonction du système nerveux qui dépend uniquement du glucose comme source d'énergie, se trouve alors grandement dérangée (réflexes diminués, dégénérescence des gaines de myéline des nerfs, nerfs irritables, douleurs dans le parcours des nerfs périphériques, paralysie, atrophie musculaire). Une carence même légère en vitamine B_1 peut occasionner la fatigue, l'instabilité émotive, la dépression, l'irritabilité, un retard de croissance, la perte de l'appétit, un état dépressif et une léthargie générale.

Lorsque le métabolisme des glucides est détraqué

Nous avons indiqué que le métabolisme des glucides était réglé par le pancréas endocrine qui sécrète l'insuline, une hormone hypoglycémiante. Chez un sujet normal le taux de glucose sanguin ou *glycémie* est compris entre 0,70 et 1 g/l. Au-delà de 1,20 g/l à jeun on parle d'*hyper*glycémie, en-dessous de 0,70 g/l on parle d'*hypo*glycémie.

L'*hyperglycémie* est le signe clinique du *diabète sucré*. On constate une mauvaise utilisation du glucose par la cellule en rapport avec un déficit en insuline. Le déficit peut être *absolu* ; on parle alors de diabète maigre car le patient maigrit très rapidement. Le déficit peut aussi se produire non au niveau de la production d'insuline mais de son *utilisation.* Tout se passe comme si l'insuline devenait incapable d'assurer de façon complète la pénétration du glucose dans les cellules. On parle alors de diabète gras. Il apparaît particulièrement chez des sujets bien en chair ou obèses.

Le diabète maigre évolue vers la consomption. Comme l'organisme ne peut utiliser les glucides, il consomme les graisses et les protides. La dégradation incomplète des graisses aboutit à la formation de corps cétoniques qui s'éliminent par les urines et la respiration. L'haleine a alors une odeur caractéristique. L'accumulation des corps cétoniques qui sont acides, entraîne l'acidose dont l'évolution naturelle en dehors d'un traitement d'urgence est le coma diabétique appelé coma acidocétosique.

Le diabète gras menace le patient de complications dégénératives: dégénérescence des artères, des vaisseaux, des nerfs, des reins, des yeux (cataracte, cécité).

L'*hypoglycémie* a pour origine l'abaissement du taux de glucose sanguin. Lorsque ce taux baisse il y a une décharge d'adrénaline capable de déclencher la mobilisation des réserves en glucose du foie. Cette décharge entraîne divers troubles: irritabilité, sueur, tachycardie, dilatation anormale de la pupille, pâleur, faiblesse, crampe musculaire. Elle est suivie d'une souffrance cellulaire qui se manifeste douloureusement au niveau du système nerveux: maux de tête, somnolence, incohérence, troubles psychiques, troubles visuels et auditifs, perte de la conscience. En l'absence de traitement, l'hypoglycémie évolue vers le coma profond (disparition des réflexes, spasmes toniques en extension) et même le coma irréversible (troubles cardiorespiratoires, perte de la chaleur) et mort. L'évolution est rarement aussi dramatique. Dès que le patient reçoit du sucre, les troubles disparaissent en quelques minutes et ceci confirme le diagnostic.

L'hypoglycémie a des causes multiples:

— chez les diabétiques, l'injection d'une quantité excessive d'insuline ou la prise trop forte de sulfamides hypoglycémiants.

— certaines insuffisances des glandes surrénales ou de l'anté-hypophyse qui ne déversent pas adéquatement leurs hormones chargées d'élever la glycémie.

— la prise de certains médicaments ou toxiques comme en particulier, l'alcool. La cirrhose du foie entraîne automatiquement une insuffisance d'apports glucosés.

— une libération excessive d'insuline après les repas riches en sucre qui entraîne chez le sujet une émotivité exagérée, avec anomalie du rythme cardiaque, des troubles digestifs vagues, des sueurs, des malaises divers.

— des tumeurs très rares du pancréas (insulinomes) qui secrétent de l'insuline en excès.

Bresse Georges, *Morphologie et physiologie animales*, Larousse.
Caratini Roger, *Encyclopédie thématique universelle*, 61 Médecine, Bordas.

L'épreuve d'hyperglycémie provoquée

Le test spécifique de l'hypoglycémie s'appelle l'épreuve d'hyperglycémie provoquée de 5 ou 6 heures. Après s'être préparé au test trois jours auparavant en se surchargeant d'hydrates de carbone, le patient se présente à jeun au laboratoire au début de la matinée et immédiatement on fait un prélèvement de sang. On lui donne ensuite une boisson contenant une quantité mesurée de glucose. On examine la quantité de sucre dans son sang en prélevant des échantillons de sang une demi-heure, une, deux, trois, quatre et cinq heures après la prise de glucose. Une courbe de glycémie normale débute avec un taux de sucre à jeun généralement de 80 à 100 mg %, c'est-à-dire 80 à 100 milligrammes, 1/1000 d'un gramme, pour chaque 100 centimètres cubes (cc) de sang. Pendant la première heure, le sucre sanguin devrait s'élever au-dessus du taux à jeun et retourner au taux à jeun dans la deuxième heure et se maintenir plus ou moins là jusqu'à la fin du test de six heures.

Si la glycémie à jeun est très basse, par exemple au-dessous de 60 mg % ou si un des échantillons du sang démontre un abaissement aux environs de 30 mg %, le médecin devrait suspecter que cette hypoglycémie est causée par une cause physique: tumeur du pancréas, cirrhose, épuisement des surrénales, etc... et ordonner d'autres tests.

Une fois que le test est fait, il doit être interprété correctement. Si un des échantillons présente une glycémie qui est au-dessous de 50 mg %, on pose le diagnostic d'hypoglycémie réactionnelle. Ce genre d'hypoglycémie constitue environ 5% des cas d'hypoglycémie que je traite. Cependant, l'hypoglycémie la plus courante est celle qui est dite relative et qui a été décrite par Salzer. Nous avons ici besoin de comprendre le concept important de Roger Williams, celui de l'individualité. Une personne peut très bien fonctionner avec un sucre sanguin de 70 mg % alors qu'une autre a besoin de 90 mg % pour que son cerveau fonctionne normalement. Comment alors donner comme critère pour pouvoir poser le diagnostic d'hypoglycémie que le sucre doit tomber plus bas que 50 mg %? L'hypoglycémie relative est diagnostiquée chaque fois qu'un échantillon de sang présente une glycémie de 20 mg % au-dessous de la glycémie à jeun ou qu'elle tombe de plus de 50 mg % en une heure et que ces taux de sucre sanguin sont accompagnés des symptômes de l'hypoglycémie. La preuve que ce concept est valide est l'amélioration obtenue dans un grand nombre de cas traités. L'hypoglycémie peut offrir d'autres courbes anormales que l'on nomme la courbe «plate» qui démontre l'incapacité qu'a le sucre sanguin de s'élever de 50 mg % au-dessus de la glycémie à jeun pendant la première heure et la courbe en dent de scie qui présente une élévation importante du sucre sanguin après qu'il soit revenu au taux à jeun, au cours de la deuxième heure.

Voici donc une description de la routine ordinaire du test d'hyperglycémie provoquée. S'il y a un haut degré de soupçon mais l'incapacité de prouver l'hypoglycémie par ce test, il faut alors faire quelques variations. Quelquefois, les tests seront faits l'après-midi et non le matin; quelquefois on ajoutera au test des exercices. On pourra prélever des échantillons de sang à des intervalles plus rapprochés sur la demande du patient ou sur la décision du technicien si le patient ressent des symptomes. Il est évident que si un abaissement du taux de glucose sanguin en réaction à la prise de glucose doit survenir, il n'est pas obligé d'arriver exactement et précisément à l'heure où le prélèvement de sang se fait. Pour faire cet examen dans les meilleures conditions possibles, le technicien devrait être instruit sur ce qu'il doit observer ou bien le patient devrait être averti de ce qui peut survenir et être encouragé à demander un prélèvement de sang additionnel si des symptômes surviennent bien avant l'heure prévue pour la prise de sang régulière. Alors que ces deux solutions sont idéales, d'une façon pratique, au sein d'un laboratoire très occupé, la meilleure solution est d'informer le patient afin qu'il observe ses propres symptômes très soigneusement. Si mon patient a des symptômes précis pendant le test, cela est pour moi beaucoup plus important que le rapport du laboratoire. En tant que médecin il est important que nous rappelions que nous traitons des patients et non pas des rapports de laboratoire.

Dr Harvey Ross, « Hypoglycemia », *The Journal of Orthomolecular Psychiatry,* Volume 3, N° 4, traduit et reproduit avec permission.

Courbes d'hyperglycémie provoquée

Voici, pour vous permettre de mieux comprendre le phénomène de l'hypoglycémie, quelques exemples de diverses courbes obtenues lors du test d'hyperglycémie provoquée. La zone ombragée indique une glycémie normale[1].

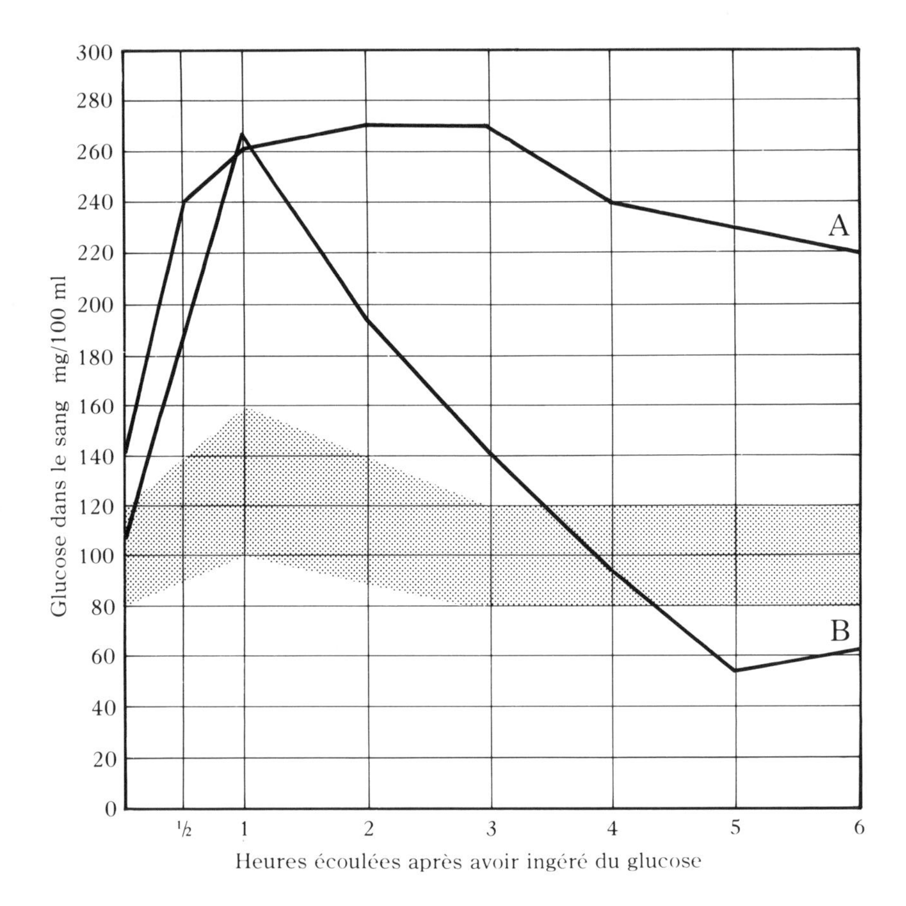

A Cette courbe indique un diabète dans lequel il n'y a pas assez d'insuline dans le sang et le résultat est un taux de glucose beaucoup trop élevé[2].

B Si ce test était un test de deux heures, le praticien aurait pu diagnostiquer le diabète. Cette courbe démontre l'utilité du test de six heures, l'hypoglycémie se manifestant après une hyperglycémie. On parle ici d'hypoglycémie réactionnelle[3].

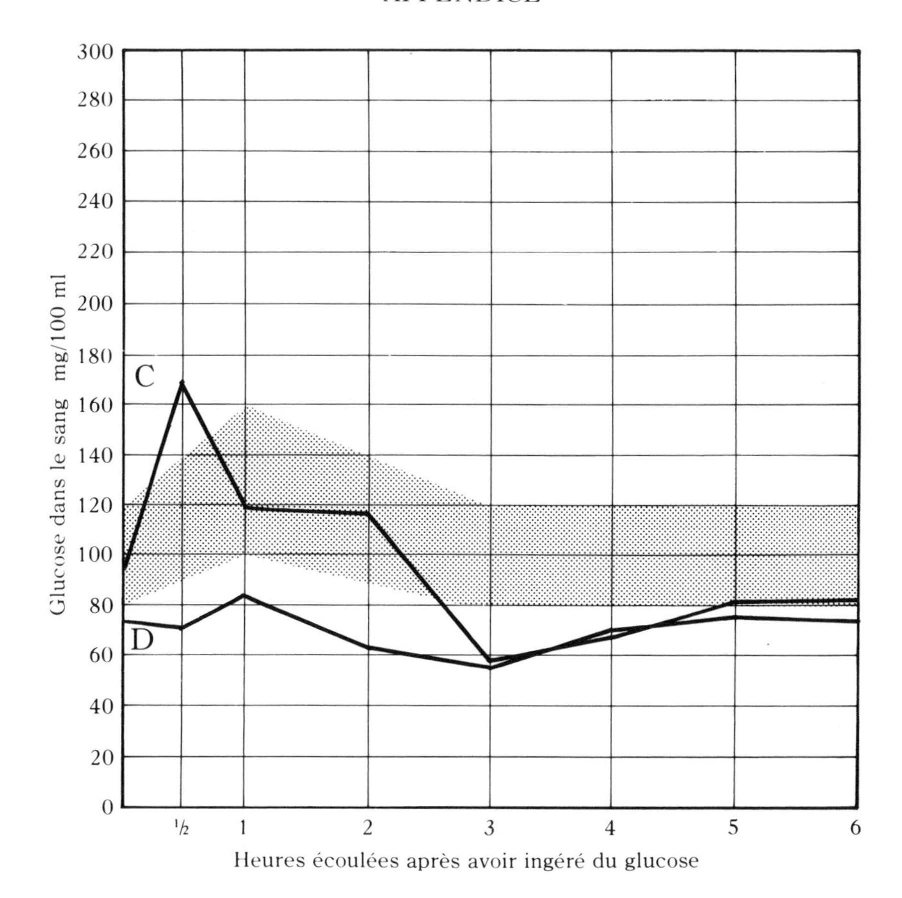

C Cette courbe indique un cas d'hypoglycémie typique. Le taux de glucose qui chute à la troisième ou quatrième heure est une chose commune chez les hypoglycémiques[4].

D Voici une courbe d'hypoglycémie à courbe plate. Pas de chute dramatique, pas d'élévation extraordinaire mais une incapacité du glucose à se maintenir à un niveau normal[5].

---

1. Meiers Robert L., Relative Hypoglycemia in Schizophrenia, *Orthomolecular Psychiatry,* p. 454-456.
2. Curnier W., Baron J., Kalita D.K., Hypoglycemia: The End of Your Sweet Life, *A Physicians Handbook on Orthomolecular Medecine,* p. 157.
3. Meiers Robert L., Relative Hypoglycemia in Schizophrenia, *Orthomolecular Psychiatry,* p. 454-456.
4. Ibid. p. 454-455.
5. Ibid. p. 454-455.

Bibliographie

Abrahamson E.M. (M.D.), Pezet A.W., *Le corps, l'esprit et le sucre,* Lapointe et Langevin Inc., Montréal, Canada, 1965.

Adams Ruth, Murray Frank, *Body, Mind and the B Vitamins,* Larchmont Books, 1972.

A Physician's Handbook on Orthomolecular Medecine, Editors: Williams Roger J. (Ph.D.), Kalita Dwight K. (Ph.D), Pergamon Press, 1977.

Airola Paavo (Ph.D.), *Hypoglycemia: A Better Approach,* Health Plus Publishers, 1977.

Blaine Tom R. (M.D.), *Mental Health Through Nutrition,* Citadel Press, New York, 1974.

Brennan R.O. (D.O.), *Nutrigenetics,* A Signet Book, 1975.

Cheraskin E. (M.D., D.M.D.), Ringsdorf W.M. (D.M.D., M.S.), *Psychodietetics*, Bantam Books, 1974.

Cheraskin E., Ringsdorf W.M.,*New Hope for Incurable Diseases,* Arco Books, 1971.

Cheraskin E., Ringsdorf W.M., *Predictive Medecine: A Study in Strategy,* Pacific Press Publishing, 1973.

Cheraskin E., Ringsdorf W.M., Clark J.W. (D.D.S.), *Diet and Disease,* Keats Publishing, 1968.

Cleave Thomas L. (M.D.), *The Saccharine Disease,* Wright, John and Sons, England, 1974.

Cott Allan (M.D.), *The Orthomolecular Approach To Learning Disabilities,* Academic Therapy Publications, San Rafael, Californie, 1977.

Deerr Noel, *The History of Sugar,* Chapman and Hall, 37 Essex Street, Londres, Volume 1, 1949, Volume 2, 1950.

Dufty William, *Sugar Blues,* Warner Books, 1975.

Fredericks Carlton, (Ph.D.), Goodman Herman (M.D.) *Low Blood Sugar and You,* Grosset and Dunlap, 1969.

Fredericks Carlton (Ph.D.), *Psycho-Nutrition,* Grosset and Dunlap, 1976.

Hoffer Abram (M.D., Ph.D.), Walter Morton (D.P.M.) *Orthomolecular Nutrition,* Keats Publishing, 1978.

Hurdle Frank J. (M.D.), *Low Blood Sugar: A Doctor's Guide to its Effective Control,* Parker, 1970.

BIBLIOGRAPHIE

Journal of Orthomolecular Psychiatry, Special Edition, Fall 1977, 2231 Broad Street, Regina, Saskatchewan, Canada S4P 1Y7.

Krause Marie V. (B.S., M.S., R.D.), Hunscher Martha A. (B.S., M. ed., R.D., M.R.S.H.), *Nutrition et diétothérapie,* Les Éditions HRW, 1978.

Mandell Marshall (M.D.), *Dr Mandell's 5-Day Allergy Relief System,* Pocket Books, 1979.

Newbold H.L. (M.D.), *Mega-Nutrients For Your Nerves,* A Berkley Book, 1978.

Martin Clement G. (M.D.), *Low Blood Sugar — The Hidden Menace of Hypoglycemia,* ARC Books, 1970.

Nittler Alan (M.D.), *A New Breed of Doctor,* Pyramid Books, 1976.

Nutrition and Mental Health, Hearing before the Select Committee on Nutrition and Human Needs of the United States Senate, 1980 Update, Parker House.

Nutrition Almanac, Nutrition Search Inc., Mc Graw Hill, 1979.

Orthomolecular Psychiatry, Treatment of Schizophrenia, Edited by David Hawkins and Linus Pauling, W.H. Freeman and Company, San Francisco, 1973.

Pfeiffer Carl C. (M.D., Ph.D.), *Mental and Elemental Nutrients,* Keats Publishing, 1975.

Rodale J.I., *Natural Health, Sugar and the Criminal Mind,* Pyramid Books, 1968.

Ross Harvey M. (M.D.), *Fighting Depression,* Larchmont Books, 1975.

Scharffenberg John A. (M.D.), *Problems with Meat,* Woodbridge Press, 1979.

Weller Charles (M.D.), Boylan Brian R., *How to Live with Hypoglycemia,* Doubleday and Co., 1968.

Weston Price A., (D.D.S.), *Nutrition and Physical Degeneration,* (Nutritional Foundation, 2901 Wilshire Blvd., Santa Monica, Californie 90 403), 1945.

Williams Roger J. (Ph.D.), *Alcoholism: The Nutritional Approach,* University of Texas Press, 1959.

Yudkin John (M.D.), *Sweet and Dangerous,* Bantam Books, 1973.

Index général

INDEX

Index des noms propres

Index des recettes

Table des matières

Danièle Starenkyj

Mon «petit» docteur

ORION

Le dilemme médical se complique. Le public en perd le souffle... Les souffrances gastro-intestinales et rénales, la tyrannie des allergies, l'esclavage des drogues, les empoisonnements par les polluants, la menace des maladies coronariennes, le spectre terrifiant des infections, le fléau de l'alcoolisme, l'angoisse de ce que le vieillissement semble imposer, sont-ils le sort inévitable de l'humanité?

Bien digérer, purifier l'organisme, subjuguer les infections, vaincre les allergies, retrouver sa forme, rester jeune longtemps est à la portée de tous. Ce livre étonnant vous en convaincra.

320 pages
ISBN 2-89124-011-1

13,50$